C. Carew

ÉTUDES SUR LES « POÉSIES » DE RIMBAUD

Yves BONNEFOY — Louis FORESTIER — Frédéric S. EIGELDINGER
Gérald SCHAEFFER — André BANDELIER

ÉTUDES SUR LES «POÉSIES»

DE

RIMBAUD

Essais recueillis par
Marc Eigeldinger

A LA BACONNIÈRE

AVANT-PROPOS

Il y a un peu plus de dix ans, Yves Bonnefoy observait qu'un « certain silence » enveloppait l'œuvre de Rimbaud, comme si l'on assistait à un « abandon » salutaire et provisoire du poète; salutaire parce qu'il importe de soumettre l'œuvre à une nouvelle écoute, à de nouvelles méthodes d'investigation, provisoire parce que l'interrogation ne peut que se poursuivre indéfiniment. Il en est ainsi de la poésie dans la mesure où elle correspond à une fonction *connotative*, comme l'a montré Jean Cohen [1], et où elle demeure sous le signe de la polyvalence. La fermeture du texte implique une ouverture du sens, un inlassable questionnement qui ne saurait se ramener à une formulation unique et définitive; elle invite à la polysémie de la lecture, à ce que Roland Barthes appelle « la langue plurielle ». L'œuvre poétique est par nature *symbolique*, parce qu'elle postule « la pluralité même des sens » [2]. On est en droit de présumer que Rimbaud était conscient de ce phénomène, lui qui affirmait à sa mère à propos d'*Une Saison en Enfer*: « J'ai voulu dire ce que ça dit, littéralement et dans tous les sens », proposition qu'il n'est pas *impertinent* d'appliquer aux *Poésies* et aux *Illuminations*. Le propos de l'œuvre de Rimbaud est de se refuser à toute fermeture réductrice, de susciter le suspens et la reprise de la critique, de prolonger l'interrogation dans le doute et l'embarras, dans la conscience stimulante de la difficulté. Sa polyvalence fait qu'elle impose des temps de silence ou de méditation, coupés de tout projet d'écriture, puis des temps où la lecture débouche sur de nouvelles tentatives d'approche. Tel est le destin des œuvres les plus amples et les plus riches en profondeur, dont on n'épuise jamais véritablement le sens. Et cette alternance

---

[1] *Structure du langage poétique*, Flammarion, 1966.
[2] *Critique et vérité*, Le Seuil, 1966.

de l'écriture et du silence n'est-elle pas inscrite dans la chair, dans la substance de l'œuvre rimbaldienne ?

Ce recueil collectif d'essais est d'abord en relation avec l'activité du Centre d'études Rimbaud, créé à la Faculté des lettres de l'Université de Neuchâtel, et avec une recherche en cours, financée par le Fonds national suisse de la recherche scientifique, qui doit aboutir à la publication d'une édition des *Poésies* et des *Derniers Vers* de Rimbaud, ainsi qu'à l'établissement d'une table de concordances. André Bandelier présente ici l'état de ces recherches, les problèmes auxquels elles s'exposent et il énonce les principes destinés à régler le tableau des concordances rythmiques. Frédéric-S. Eigeldinger propose une étude sémantique du futur dans les *Poésies* et les *Derniers Vers*, le futur, qui est, chez Rimbaud, le temps de la voyance et de l'énergie poétique. Quant à Gérald Schaeffer, il poursuit la tâche qu'il a entreprise en publiant le texte et le commentaire des *Lettres du voyant* [3] sous la forme de l'analyse des poèmes de la *révolte* et de la *dérision*, c'est-à-dire ceux que Rimbaud a insérés dans sa lettre à Paul Demeny du 15 mai 1871.

Mais il importait, au-delà des ressources de notre Centre d'études, de s'assurer le concours de spécialistes de Rimbaud. Louis Forestier, directeur de la série *Arthur Rimbaud* chez Minard et éditeur de l'œuvre dans *Poésie*/Gallimard, se consacre à élucider la question de l'ambivalence qui, au niveau du sens et du langage, est centrale chez le poète. Puis Yves Bonnefoy apporte le témoignage d'un poète sur Rimbaud, en reconsidérant la relation qui s'instaure entre la mère et l'éveil de la conscience poétique. Il brosse un portrait de Madame Rimbaud, asservie au contexte social, et montre comment la parole poétique surgit en rompant avec le langage figé et conventionnel de la mère, comment elle se mue en une écriture de la révolte et de la liberté, ouverte sur l'universalité du *je* qui rejoint l'*autre*. Peut-être peut-on présager que le temps est venu d'un retour à Rimbaud, qui s'accompagnerait d'une écoute plus rigoureuse du texte, moins subjectivement interprétative, d'un éclairage associant la forme et le contenu dans le respect de l'ambiguïté poétique.

Marc Eigeldinger

---

[3] Droz et Minard, 1975.

YVES BONNEFOY

MADAME RIMBAUD

I

Je voudrais revenir sur le rapport de Rimbaud et de sa mère. Ajouter quelques précisions ou nuances — peut-être un peu plus, par endroits — à une proposition déjà ébauchée[1].

Et d'abord sur l'articulation des données de pure psychologie à l'expérience spirituelle. Car le fait que cette dernière ait commencé chez Rimbaud si mêlée aux aspects de sa situation familiale et aux difficultés de l'Œdipe devrait aider à comprendre, sur l'exemple d'une grande œuvre, comment peut s'établir cette relation qui est au cœur de la poésie. Du point de vue de son caractère, de ses tendances, peut-être de sa névrose, Mme Rimbaud est, réflexion faite, définissable, et elle a été définie. Nous sommes tous d'accord, notamment, pour décider capitale, dans son destin la solitude qui fut le lot de cette femme encore très jeune, et si peu avertie du monde, dès que son mari la quitta et qu'elle crut nécessaire — et c'était presque une obligation, hélas, dans cette sorte de société — d'assumer devant ses enfants le rôle du père, normatif sinon répressif. Tâche moins faite pour elle, sans doute, que je ne l'ai cru autrefois. Comme des lettres que l'on a d'elle le montrent, Vitalie Cuif avait été, jeune fille, aussi romanesque, au moins en rêverie, et craintive que la mère qu'elle devint se montra brusque et sans fantaisie, surtout d'ailleurs quand ses fils grandirent. Ce visage sévère fut une construction autant ou peut-être plus qu'une aptitude profonde. Et beaucoup du trouble d'Arthur aura été la conséquence directe de la formation difficile de l'androgyne qu'elle finit par paraître, non sans avoir tenté de cacher aux autres — et d'abord à ce fils qui comprenait

[1] Cf. *Arthur Rimbaud*, Paris, Le Seuil, 1961.

tout trop parfaitement — ses paniques ou défaillances. La loi, celle de tous les jours, celle du milieu social, eût-elle été représentée à Rimbaud de façon moins gauche ou contradictoire, eût-il eu quotidiennement l'exemple des certitudes d'un homme, en ce temps où les préjugés étaient encore des dogmes, sa place lui eût été d'un accès facile aux « jeudis soirs » du kiosque à musique : ce qui ne signifie nullement que cet esprit exigeant aurait daigné venir s'y asseoir. Et réciproquement, que le principe d'autorité ait porté ces jupes même si strictes, ait connu ces moments de rougeur aux joues, de colère contre l'arrogance ou la grossièreté masculine, cela a dû contribuer au désir chez l'enfant d'une loi plus dialectique, plus proche de la vie qui est grâce aussi bien que force ; d'où ces « délicatesses mystérieuses » qui demeurèrent son charme autant que, bien sûr, sa faiblesse dans les pires vicissitudes. Même à ses heures violentes, quand il essaie d'affirmer sa virilité incertaine par la brutalité que son grand corps lui permet, Rimbaud va demeurer l'observant de valeurs et de façons féminines qui lui rendront difficile, sexuellement, d'affronter les femmes dans une société où l'homme s'enhardissait surtout de la pensée qu'il était le maître — se cuirassant de mépris, ce qui n'aidait certes pas la partenaire effrayée à faire le premier pas vers tel garçon moins ordinaire, mais sombre. Qu'il est triste de voir cet adolescent de si belle trame rêver, puisqu'incapable de ce mépris *a priori* pour les jeunes filles qu'il entrevoit, à des objets qui d'emblée soient, effectivement, méprisables : ainsi Nina, la supposée virginale, mais qui a son « bureau », un fonctionnaire qui l'entretient ! Rimbaud ne pourra s'unir qu'avec des femmes qui d'une façon ou d'une autre — et, en somme, comme fit sa mère elle-même, quand elle se fiança à un inconnu, quasiment — ont accepté de se vendre. Il est bien cet « infirme » qui s'imagine acquérant, brutal, les soins d'une femme-esclave, quand il rentrera au pays suffisamment riche... Oui, en ceci comme de bien d'autres manières Rimbaud a ses déterminations et ses causes à un niveau que l'analyse psychologique, ou sociologique, peut éclairer bien plus spécifiquement qu'aucune spéculation sur l'être, sur l'esprit qui se tourne vers l'unité, sur le verbe.

Mais, déterminé, expliqué, il ne l'est que trop, de cette façon, puisqu'à tant resserrer ce filet sur son existence on en vient vite à ne plus comprendre, si même on cherche encore à le faire, ce qui lui a permis cet espoir bien moins formulé que vécu — et avec quelle violence, quelle rigueur ! — dont nous savons pourtant que sa pensée fut capable. Ni pourquoi la poésie de Rimbaud, qui devrait donc s'expliquer par des inhibitions et des manques, a si peu essayé de les compenser par du rêve. Que l'auteur du *Cœur volé*, des *Déserts de l'amour*, de *Honte*, parle dans ces poèmes de frustration, de contradictions, d'impuissance, ou qu'il cherche là-même à en triompher, ce n'est pas ce que je conteste : mais réserve faite de quelques premières pages qui sont d'avant son génie, et de cinq ou six *Illuminations* que l'on pressent une fin, a-t-on assez remarqué qu'il ne tente pas ce dépassement de la façon qu'attendrait le psychocritique, celle qui compense le manque ou sublime les appétits par les seuls moyens qui demeurent aux êtres trop aliénés, à savoir le travail du rêve, les transpositions symboliques ? Pas d'héroïne à la Hérodiade — bien androgyne pourtant, bien faite pour désarmer les conflits de la chair et de la valeur — dans cette poésie si spontanément visionnaire ; et de fiction qu'en de brefs moments qui tournent vite au témoignage incisif, à la critique, à la lutte : cet être dépossédé, et qui dit qu'il rêve, qu'il regarde de « merveilleuses images », n'a plus besoin, dirait-on, de « chère image » dès qu'il écrit ; et ses « filles », ses « reines » ne sont que pour un « côté de l'ombre » qu'il n'accepte pas dans son œuvre. Si le désir surgit dans ses mots, il le reconduit tout de suite à des situations du vécu, par des méthodes que j'ai déjà essayé de dire. Et sur le plan du symbolisme inconscient, là où les désirs les mieux éconduits ne peuvent pas ne pas demeurer actifs, il est frappant de voir qu'à partir de la fin de 1870, dès son caractère trempé, Rimbaud, à chaque fois qu'il entrevoit ce qui se joue dans sa profondeur, cherche aussitôt à dis- créditer les belles figures, à dénoncer ses chimères, à se moquer de l'idéalisme qui les cultive — « Je vis assis », écrit-il, « tel qu'un ange aux mains d'un barbier » —, tant son besoin de vérité est plus vaste que son désir d'évasion. Nul doute qu'une autre force est en acte, en cette expérience peu ordinaire, que celles qui rendent compte des faits et gestes de tant et tant de personnes qui ont eu des pères absents, des mères dominatrices.

J'en reviens donc à ce rapport à la mère qui me paraît essentiel mais à interpréter autrement que par la seule psychologie. Et j'essaierai de distinguer plus précisément qu'autrefois les traits de caractère ou autres données de la situation familiale d'une composante qui s'y ajoute, dès l'origine, d'une façon à la fois non nécessaire et cependant si intense que j'estime qu'elle a été, métaphysique déjà, une provocation spirituelle, une incitation à cette révolte qu'on nomme la poésie. Mme Rimbaud !

Quand parviendra-t-on à s'accorder sur ce qu'elle fut, à ce niveau plus profond, — et, pour commencer, avec soi ? Dans mon premier essai, il y a longtemps, j'écrivais que Vitalie Cuif fut « un être d'obstination, d'avarice, de haine masquée et de sécheresse », et j'ai un peu regretté, ultérieurement, ce portrait aux couleurs si noires, puisque des lettres d'elle que nous connaissons mieux maintenant la révèlent capable, même vieillie, de retrouver ses aspirations de jeune fille : une ombre de romanesque qu'elle n'avait donc qu'enfouie, précipitamment, quand sa vie s'était faite longue « patience » — c'est un mot fréquent de son fils — et années en grisaille et devoir pur. Elle aussi avait dû renoncer, un certain jour, ou en des occasions successives, aux bonheurs des « années enfantes ». Et quand dans son grand âge elle rapporte à sa fille qu'elle a rencontré à l'église un infirme qui lui parut son fils mort, on dirait bien que c'est une pensée d'amour qui la bouleverse. « Il ne m'a pas été possible, malgré tous mes efforts, de retenir mes larmes », écrit-elle le lendemain à Isabelle, précisant toutefois : « larmes de douleur bien sûr, mais il y avait au fond quelque chose que je ne saurais expliquer ». En une autre occasion, en 1907, elle a 82 ans : « Ma fille, » annonce-t-elle, « [...] il passe ici beaucoup de militaires, ce qui me donne une très forte émotion, en souvenir de votre père avec qui j'aurais été heureuse », mais aussitôt elle ajoute, soulignant même d'un trait, ce qu'elle ne fait nulle part ailleurs : « *si je n'avais pas eu certains enfants qui m'ont tant fait souffrir* », une remarque qui nous rappelle à d'autres réalités. Que lui ont donc fait ses deux fils, pour qu'elle proclame ainsi qu'ils ont ruiné son bonheur ? Et que signifie que ce soit seulement quand ils l'affrontèrent — sûrement pas avant leurs « sept ans », ou l'adolescence — qu'avait encore à se décider le sens de cette vie conjugale depuis longtemps terminée ?

Mais cette fois, laissant pour un instant de côté ce que Mme Rimbaud fut, ou montra, devant Arthur enfant ou émancipé, je vais interroger une autre période, celle des derniers grands heurts qui les opposèrent, et où se découvre, me semble-t-il, et désormais sans ambiguïté, le trait le plus singulier de son être. En mai 1891, Arthur est rentré en France, il est malade à l'hôpital de Marseille, on lui enlève une jambe et sa mère est venue auprès de lui. Mais le 8 juin elle repart — et malgré ses larmes à lui — pour sa lointaine province. Craignait-elle qu'Isabelle, restée là-bas toute seule, ne fût malade elle-même, c'est fort possible, mais au moins eût-elle dû l'expliquer, avec quelque patience ou tendresse, à celui que ravageaient si évidemment l'inquiétude sur l'avenir et la souffrance du corps. Il n'en fut rien, cependant. « J'étais très fâché quand maman m'a quitté », écrit Rimbaud à sa sœur huit jours plus tard, « je n'en comprenais pas la cause. [...] Demande-lui excuse ». En fait Mme Rimbaud n'avait pas même dû tolérer que son fils tentât de la retenir, puisqu'elle le laisse ainsi sur le sentiment d'une faute et va refuser tout nouvel échange : de ce moment et jusqu'à sa fin Arthur n'aura plus d'interlocutrice qu'en Isabelle, qui naît ainsi à son rôle. De « Madame » au fils qui pleure jour et nuit, qui ne dort pas dans la chaleur étouffante, plus un billet. Et dans deux lettres que nous avons d'Isabelle — du 30 juin, du 4 juillet — rien davantage qu'on puisse interpréter comme un signe de Vitalie. « Je te dis au revoir, mon cher Arthur, et t'embrasse de cœur », dit Isabelle. Le 8 juillet seulement, quand elle croit imminent le retour de son frère à Roche, où Mme Rimbaud passe la saison des récoltes sur les terres qu'elle possède, la jeune fille ose faire de ce « Je » un « nous », qui disparaît à nouveau des lettres du 13 et du 18, une occasion, cette dernière où pourtant la mère a demandé à se faire entendre. « Recommandation de Maman : aie bien soin de ton argent ou de tes titres si ton argent est placé »...

Indifférence, rancœur ? D'abord, sans doute, au niveau conscient, la conviction d'avoir eu raison — « Je fais tout pour le mieux », avait-elle écrit le 8 juin —, si bien que l'autre n'a qu'à comprendre et se plier à la loi. Mais considérons maintenant une autre série de faits, ceux cette fois des tout derniers jours de Rimbaud. Celui-ci était enfin arrivé à Roche, le 24 juillet, mais un mois à peine plus tard, par crainte, dit-il pourtant, de l'hiver, il en repart pour les soleils dont il rêve. En fait, son état est épouvantable et, assisté d'Isabelle de plus en plus dévouée, il ne peut que s'écrouler dès l'arrivée à Marseille pour ce qui va être, c'est sûrement évident à tous, son dernier moment d'existence. Or, le 22 septembre, la fille, tout respect, toute dévotion qu'elle soit devant sa mère, ose élever la voix d'étrange façon. « Ma chère maman, Je viens de recevoir ton petit mot, tu es bien laconique. Est-ce que nous te serions devenus antipathiques au point que tu ne veuilles plus nous écrire ni répondre à mes questions ? » Et plus loin : « Quoique cela te paraisse indifférent, je dois te dire qu'Arthur est bien malade. » Le 3 octobre : « Je te supplie à genoux de bien vouloir m'écrire ou me faire écrire un mot. [...] Que t'ai-je donc fait pour que tu me fasses un tel mal ? » En réalité Mme Rimbaud lui avait écrit la veille, et la lettre arrive, qui est perdue aujourd'hui, mais elle devait surtout parler des travaux et des soucis de la ferme, car Isabelle répond, le 5 : « Oui je suis bien exigeante, mais il faut m'excuser » et « Je comprends combien tu dois être occupée, prends patience et courage avec les domestiques », — après quoi toute une dissertation sur le lait, les vaches, les porcs, les chevaux et leur santé, l'avoine, le blé, avant que la sœur pourtant bouleversée ne se sente autorisée à parler du frère, qui est mourant. A celui-ci — c'est clair car sinon Isabelle en aurait rendu grâce, avec quelle joie ! — pas une ligne de sympathie n'avait été concédée. Il est déjà réduit à l'argent qu'il va falloir recueillir et « placer » au mieux, et Isabelle, toujours le 5, doit rassurer sa mère sur les opérations commerciales qu'Arthur pourrait engager : elle lui mentira, s'il le faut, pour l'en empêcher, assure-t-elle, ce qui n'apaise pas pour autant Vitalie Cuif car les questions d'héritage reparaissent dans la lettre d'Isabelle du 28, où celle-ci est pourtant tout à son bonheur de la conversion que l'on sait.

Il convient de citer ces quelques lignes, qui expriment sans équivoque un jugement qu'il n'y a pas lieu de tenir pour grevé de préjugés malveillants. « A propos de ta lettre et d'Arthur : ne compte pas du tout sur son argent. [...] je suis absolument décidée à respecter ses volontés et quand même il n'y aurait que moi seule pour les exécuter, son argent et ses affaires iront à qui bon lui semble. Ce que j'ai fait pour lui, ce n'était pas par cupidité [2], c'est parce qu'il est mon frère, et que, abandonné par l'univers entier, je n'ai pas voulu le laisser mourir seul et sans secours [...] » L'argent ! Ce n'étaient guère pourtant que quelque 40 000 francs — Les Poètes maudits, une brochure, se vendaient alors 3 Frs 25 — quand Mme Rimbaud était déjà « riche à 300 000 », au témoignage de son autre fils, Frédéric.... On me reprochera ces détails ! Mais il les faut, pour achever de comprendre.

II

Ce qui est possible, à présent, me semble-t-il, car pour ma part, au vu de cette souffrance refusée par de la bonne conscience, reclassée si tôt au registre de l'accompli, du destin, ensevelie si aridement dans les draps de l'or toujours respectable, j'ai ma conviction, à nouveau : et

[2] Une réflexion qui donne à penser que Vitalie avait déjà (et peut-être même dans cette lettre perdue) indiqué ou rappelé à sa fille que « l'argent d'Arthur » pourrait constituer sa dot...

c'est que Mme Rimbaud pouvait aimer, oui, et même qu'elle a aimé son
fils — elle le préférait aux autres enfants, a-t-on remarqué, il fut longtemps le seul qui la tutoyât — mais que c'était dans les limites ou plutôt
à travers le prisme de son idée de la loi, du devoir, du Bien, d'où suit
que, puisque ces catégories sont abstraites, étouffent les élans, gou-
vernent sèchement les soucis, répriment les intérêts personnels profonds,
ce fut, sans métaphore, vraiment, un amour dans la mort, un amour de
l'autre comme mort, comme sacrifié d'avance à sa « bonne mort », —
qui sait, même, un amour de rien d'autre que la mort, tenue pour préférable à l'effroi que cause la vie. Mme Rimbaud pouvait bien ne pas
s'inquiéter de son fils agonisant : il mourrait, on allait enfin le transférer
tout dans l'image à quoi de toujours on désirait, puisqu'on l'aimait, le
réduire, — une image où un peu d'argent, soigneusement rapporté des
pays lointains, inscrit au compte de la famille en réparation des anciennes
fautes, ferait sûrement bel effet. Ah, certes, mieux eût valu pouvoir le
marier, à ce retour, avec quelqu'un « comme il faut », mais ce dénoue-
ment-ci reste, finalement, du même ordre. Et ceux qui survivent, sans
joie, sauront veiller à l'honneur d'un être au moins, désormais, bien
préservé de lui-même et qui aurait dû, hier déjà, sentir le bien de l'arran-
gement... Si cette idée d'un amour pétri d'orgueil et de mort paraît à
mon lecteur d'aujourd'hui, ce rescapé, excessive, qu'il se souvienne un
instant des heures d'*A la musique*, où l'on voit les rites du déploiement
des richesses, grasses ou maigres, étouffer de leur morne répétition tout
le possible qui rôde, réifiant si totalement l'acte d'exister qu'on pouvait
en finir avec celui-ci sans perdre grand chose, à Charleville, pour peu
qu'on ne fût pas — mais c'eût été le péché encore, pour d'innombrables
Vitalie Cuif — l'épicurien hypocrite. Et qu'on n'oublie pas non plus que
Rimbaud lui-même a écrit, dans *Une Saison en enfer* : « Comme je
deviens vieille fille, à manquer du courage d'aimer la mort ! », ce qui
signifie qu'à ne pas l'affronter dans son absolu, qui rend son prix à la
vie, qui fait de celle-ci l'occasion unique, le fruit dans sa saveur sans
retour, on fait de la mort l'impasse où va stagner la conscience : on va se
retrouver, comme la mère ou les sœurs, dans le désert des prudences, des
abstractions, de la loi. Qu'on ne s'y trompe donc pas ! Aimer la mort
comme j'ai dit que Mme Rimbaud l'a fait, ce n'est pas, malgré l'impavi-
dité devant l'alcôve des derniers souffles, et l'habitude des glas, des tom-
bes, des boucles de cheveux pâlissant dans des médaillons, une intuition
de son sens, la mesure prise, lucidement, de notre condition comme

elle est, non, c'est une sorte de rêve où la souffrance, la fin, les derniers regards, les adieux ne sont que des ombres parmi les autres dans la substitution radicale qu'on a accepté de faire de quelques valeurs rigides à l'antique joie d'être au monde.

Mme Rimbaud : simplement, en somme, un des exemples les plus extrêmes, une des observances les plus tendues, les plus fanatiques, de cette religion du « qu'en dira-t-on ? », du « ce qui se fait », du « ce qu'il fallait », du « je le devais », qui a étendu son ombre — c'est un enseignement on ne peut plus méditable — partout où s'étaient imposés jadis les commandements de la loi d'amour. Dans la civilisation même qui se réclame toujours, à Charleville ou ailleurs, du dieu de l'Incarnation, la prêtresse, parmi de simples dévotes, d'un principe d'excarnation aux lueurs et froideurs de cave, qui emploie la vie à servir la loi et ne fait son étrange joie que de cette réduction de l'inconnu au connu, de l'inépuisable au répétitif. Quand à l'église l'infirme vient auprès d'elle — il avait voulu cette place, il regardait Vitalie « avec une sympathie extraordinaire » — qu'est-ce que celle-ci aime voir en lui, sinon un jeune homme « très pieux », qui « paraissait au courant de toutes les parties de l'office » : exactement le contraire de ce que son fils grandissant avait choisi d'être, mais une des façons de passer la vie qu'elle aurait trouvées acceptables — avec le travail comme complément —; et le « quelque chose » qu'elle ne saurait expliquer, mais qui adoucit sa douleur, c'est de comprendre soudain qu'Arthur, dont elle savait bien le sérieux sous la rebellion, et que sa violence s'apparentait à la sienne dans des choix également religieux, est revenu lui donner raison. Peu eût compté, je n'en doute pas, au temps des affrontements, peu eût compté à ses yeux qu'il ait la « peau blanche, grisâtre » de l'inconnu de l'église, ou même son pas brisé et sa faiblesse inquiétante, si Vitalie avait pu savoir qu'à ce prix la reconversion d'Arthur était chose acquise; et peu aussi bien a compté qu'il meure puisque l'être réel pour elle, ce n'est que ce sentiment d'une vie qu'on a bien gérée, du devoir qui fut accompli. Quand, quelques mois après cette rencontre d'un spectre, Mme Rimbaud écrit à sa fille, le 1er juin 1900, qu'elle s'est fait placer par les ouvriers dans le caveau de famille remis à neuf, entre les dépouilles de son père et de ses enfants — j'ai déjà cité dans mon livre ancien cette lettre peu ordinaire —, c'est pour affirmer, satisfaite, que son bon père était « un parfait honnête homme », et, est-ce la conséquence des révélations de l'église ? pour aussi et surtout nommer devant Dieu et les hommes « mon pauvre Arthur qui ne m'a jamais rien demandé, et qui par son travail, son intelligence, sa bonne conduite, avait amassé une fortune [...] ». Ce n'est pas là vanité, j'en ai assez dit maintenant pour qu'on le sente, j'espère, ce n'est pas même avarice, comme son obsession de l'héritage d'Arthur aurait pu un moment nous inciter à le croire, non, ce qui parle et s'apaise ainsi, après sûrement de longues angoisses, c'est le besoin d'être reconnue par autrui — si c'est le mot, l'existence dog-matisée n'accédant à son semblant d'être que dans le regard de l'autre, c'est vrai, mais pour autant que celui-ci se réduise à la loi sociale lui-même —, et cela sous le signe de principes et de valeurs dont l'argent est une des formes, chaque fois qu'il peut signifier, si durement, si lentement amassé, le pieux sacrifice de toute joie.

Résumons-nous, ou plutôt disons cela un peu autrement, d'un seul concept qui connotera d'ailleurs la nature foncièrement religieuse — si même c'est sans espoir ni, en profondeur, sans croyance — de ces opérations de l'esprit. Que cette « descente au tombeau » symbolise si clairement l'attitude de Vitalie, la bien mal nommée, devant l'existence, qu'elle peigne de couleurs, ou plutôt d'ombres si convaincantes le choix que cette femme fit d'elle-même, c'est, le moment est venu de le préciser, parce qu'elle dessine d'abord de façon quasi schématique l'acte, si ce beau mot est ici de mise, qui fait le fond de toutes ces façons d'être, et que je propose de dénommer, au moins un instant, dans la limite de ces remarques, l'*image* scellée sur soi, *l'ensevelissement dans l'image*. De quoi ai-je parlé, en effet ? Du mouvement par lequel une existence sacrifie ses mille virtualités de vie plus intense, de connaissance plus vaste, pour se réfugier toute, par l'assomption de valeurs déterminées et rigides, sur un plan qui est donc, par rapport aux virtualités perdues, une irréalité, une fiction : je puis bien dire une image puisqu'il y a, qu'on le veuille ou non, dans toute image même exaltante, un réseau d'affirma-tions arbitraires, de formulations réductrices, qu'il serait dangereux d'absolutiser. Et cette image-ci est donc pauvre, mais elle apporte en compensation de cette indigence native, et c'est pourquoi elle a été recherchée, sa clarté de structure, son déni décidé de toute vérité autre, ses principes simples d'action, tout ce qui fait que son observant ne doutera plus, refoulera son angoisse, échappera au vertige qu'avait fait naître en lui, au début, l'étendue de cet univers où des contraintes, déjà, des inhibitions héritées, l'empêchaient de se jeter comme il eût fallu, hardiment. L'image, en somme, est une fuite en avant dans l'aliénation, toujours plus de contraintes palliant demain les frustrations de la veille, jusqu'au moment où tout cela, désirs, conduites, satisfactions, se stabilise en un système de représentations, de valeurs, suffisamment clos pour fonctionner par soi-même. — L'image, et je ne dis pas l'idéologie, un mot qu'on pourrait pourtant juger préférable, ici venu, parce qu'il signifierait plus précisément qu'un autre la structure d'emblée fermée, dans la primauté de notions abstraites. Car, la vie feutrée des provinces le montrait bien, hier encore, le monde de Mme Rimbaud, et son choix de sa destinée, son choix aussi d'une destinée pour les autres, c'est moins une pensée explicite qu'une pratique, ce sont des sentiments aussi, une sensorialité, des goûts esthétiques même, — tout ce que nous trouvons de concret et, en un sens, d'infini dans le bouquet séché sous le globe ou telle sainte Rosalie qui fut glissée autrefois entre deux feuillets d'un missel. Il faut sentir qu'à tant demander et à tant donner à l'image, celle-ci est vite bien plus qu'une référence pour la conduite mais — et c'est cela l'essentiel — une transcendance que l'on célèbre, un absolu dans lequel on glisse, tout lacunaire qu'il soit, comme Mme Rimbaud dans le marbre et l'odeur de terre de son caveau de famille.

J'insiste donc, dans les perspectives de cette étude qui a pour objet dernier un poète, sur ce caractère concret, terriblement concret, de l'image, et sur la captation de l'aspiration religieuse qu'elle accomplit de ce fait, sur l'impression de salut, rencontré et vécu dès cette existence, qu'elle réussit à donner. « Formule » mais même « lieu », l'image appelle à soi toutes les énergies présentes dans la personne, emploie ses qualités — la force, par exemple, l'obstination, l'ardeur même — quitte à les rétrécir dans leur champ, les précautionneuses prenant le pas, et garde à beaucoup de choses une apparence de plénitude, pour autant que leurs incitations ne vont pas à la liberté qu'on redoute. Pays, cette province immobile, des confitures, du cidre et du lait, et même du jambon « tiède » et, à l'occasion, des vins secs. Terre, quand même, où quelques-unes des formes de la richesse sensible sont d'autant plus actives et résonnantes qu'elles sont peu nombreuses à avoir été acceptées, — ce qui suffit à assurer à la profondeur sensorielle son expansion nécessaire à travers les jours, non sans bien sûr une étrangeté mais prenante, comme de draps brodés trop bien rangés dans l'armoire. Quand Rimbaud écrira *Sensation*, ne croyons surtout pas que c'est la profondeur substantielle qu'il découvre ainsi comme telle, non, il ne fait que lui trouver de nouveaux aspects, dont le sens dérange l'économie des anciens. Et

de ce monde où il fut enfant ne pensons même pas que la sensualité fut
absente, ni déniée: elle y était tolérée et même menée bien loin à condition d'avoir satisfait à des conditions préalables, ce qui, malheureusement, est possible, je vais en donner un exemple. — Analysant *Les
Poètes de sept ans* dans mon *Rimbaud* d'autrefois, j'ai souligné la dureté
de Vitalie à l'encontre de l'écolier, de l'adolescent: ce qu'il pouvait
estimer son indifférence, sa sécheresse. Mais l'auteur de *Jeunesse*, à la
fin de l'œuvre, a encore, et gardera vraisemblablement jusqu'au dernier
jour de sa vie, le regret des « années enfantes », celles où la chair était,
écrit-il, un fruit au verger, c'est-à-dire une plénitude, un facteur d'équilibre entre nature et esprit. C'est évidemment aux ressources de ce
moment pourtant bref que Rimbaud a puisé l'énergie extraordinaire
qu'il consacra de seize à vingt ans à la recherche de la « vraie vie », dont
l'intuition lui venait ainsi des profondeurs mêmes de son rapport à sa
mère. Et à sept ans, à l'époque exacte où il nous dit qu'il se scandalisa
d'elle et l'accuse, on sait aussi qu'il surgit « bout d'homme » de ces
premières années de son existence avec assez de passion pour elle, assez
le désir de la protéger dans sa condition nouvelle de femme seule, pour
qu'on ne puisse douter de l'intimité qui avait uni la mère et le fils jusqu'à cette heure de crise... Il est sûr qu'on peut s'étonner du contraste des
deux périodes. Mieux vaut pourtant y déceler un des traits les plus
remarquables autant qu'un des plus dangereux de l'existence « en
image », au moins dans notre monde chrétien.

Ne savons-nous pas, en effet, que dans l'intuition des petites villes
d'hier, ni trop fortunées ni trop pauvres, dans la théologie de cette
immense église des gens décents et obscurs à laquelle l'Apôtre a eu
grand tort de ne pas écrire, il y a que l'enfant naissant, puis le tout-petit,
c'est un « ange », en deçà encore de cette maturité sexuelle qu'on sait
difficilement contrôlable et un risque donc pour la norme? Et qu'on
peut donc l'aimer, insoucieusement, pendant ces quelques saisons
premières, l'aimer avec abandon, l'aimer avec même alors une sensualité
presque avide, quitte à penser en sous-main que puisque c'est maintenant qu'il est dans le bien et le vrai, c'est bientôt, c'est demain déjà
qu'il devrait mourir? Dans l'épreuve de vers latins que Rimbaud a eu à
subir en juin 1869 pour le concours général la matière — un bel exemple
de conditionnement spirituel —, c'est, d'un certain Reboul, un poème,
L'Ange et l'enfant, où l'on perçoit clairement cette dialectique. L'ange
se penche sur le berceau:

Charmant enfant qui me ressemble,
Disait-il, oh ! viens avec moi,

expliquant au petit de l'homme tout ce que la vie a d'impur, et qu'il vaudrait mieux qu'il la quitte. A ses sept ans, quand son fils a cessé d'être un « chérubin », ou ce qui pouvait sembler tel, Mme Rimbaud n'a sûrement pas demandé consciemment à Dieu que l'ange le lui reprenne. Mais elle a commencé à le voir un homme, et, frustrée de ses épanchements de la veille, elle a reporté dans l'éducation sévère et jalouse toute l'intensité restée grande de ses propres désirs trop tôt, trop durement réprimés.

Sept ans ! Nous voici donc revenus au grand poème autobiographique que j'ai déjà étudié: mais en commençant à comprendre comment ces conditions d'existence — en 1861 à peu près, quand Baudelaire et Flaubert viennent de passer en correctionnelle — ont pu conduire un enfant à se vouloir un poète et à se retrouver un Rimbaud. D'une part donc, cette contrainte de l'âme, ce sacré des effrayés et des pauvres qui pèse sur tous les choix, mais si concrète et si cohérente, en un sens, autant que si insensée, qu'il est devenu difficile d'en déceler la présence. Dans cette norme, qui passe pour évidence, ne prenons pas Vitalie pour la source extraordinaire d'orgueil et de dureté qu'on pourrait inférer de certains gestes ou lettres, mais bien plutôt pour une victime parmi les autres, que ses qualités autant que d'indéniables faiblesses — son courage, disons, autant que son humeur sombre où rôde toujours la violence — ont portée simplement à un extrême d'affirmation dog-matique qui dissimule sans doute autant de désespoir et d'angoisse. Ce fait de la mère rend plus naturel encore, et même riche d'attraits pour une jeune vie affamée d'amour et douée par conséquent de mémoire le monde-image que la froideur ultérieure va l'inciter à briser: il ne faut pas sous-estimer ces contradictions et ambivalences, qui furent le début de l'empiègement. — Et d'autre part cette conscience neuve, exigeante, dont le sérieux même et l'intensité d'ailleurs héritée font qu'elle va questionner avec colère et révolte, d'un coup, en bloc, l'ordre menteur que Vitalie Cuif au contraire se passionnait à justifier et servir. On le voit: il s'agit d'un rapport à l'être du monde, à son *sens*, qu'on vivra soit au négatif, dans la sécurité de l'image — mais la paralysie de la liberté — soit au positif, c'est-à-dire, pour commencer, dans le refus, dans le risque. Et si des traits de caractère, si des tensions œdipiennes jouent eux aussi un rôle dans cette genèse d'une âme, c'est par la façon seulement, redisons-le maintenant en connaissance de cause, dont ils s'inscrivent dans le conflit plus profond, — dont les suspicions qu'il provoque, les ressentiments, les mutismes, les aggravera, les fera pourrir. Ah, certes, peu importe dans une vie, pour un regard sur le monde, que la mère soit masculine, le père absent, le fils voué de ce fait à telle perturbation de la norme sexuelle: cela peut toujours, cela aurait pu à Charleville déjà, être assumé autrement, dans la chaleur, pour la vérité — et être un homosexuel, si l'Œdipe mène à cela, ne signifie assurément pas qu'on ait pour autant un « horrible cœur infirme ». Ce qui compte, au vrai niveau qui est de l'esprit, c'est si l'échange est réel, le groupe humain une vie, l'amour autre chose qu'un mot. Ou si les mots, justement, ont étouffé le possible que l'on pressentait avec fièvre dans les êtres et dans les choses, quand on naissait à sa propre vie.

Ceci étant dit, toutefois, il reste à retracer de façon suffisamment détaillée, avec des précisions de diverses sortes, cet affrontement où se découvre, à mon sens, l'origine du sentiment de la poésie dans une jeune conscience.

Quelqu'une de ces précisions, mon lecteur l'attend peut-être déjà, depuis que je parle de poésie tout en décrivant des modes de l'existence qui se dogmatisent, se paralysent ou pas, — puisque la forme de contestation des orthodoxies que beaucoup doivent juger la plus naturelle sinon la seule authentique, c'est une intervention au plan même où l'aliénation s'est produite, c'est-à-dire une action, qu'elle soit politique ou religieuse ou morale, loin des obscurités et ambiguïtés qui abondent dans l'écriture. Qu'un tel projet d'engagement direct soit la réponse qu'il faut au défi des structures closes, cela peut d'ailleurs sembler la pensée de Rimbaud lui-même, qui de son *Forgeron* au « changer la vie » d'*Une Saison en enfer* en passant par son enthousiasme pour la Commune et son ébauche de rédaction d'une constitution communiste, a cherché bien clairement bien des fois à passer de ses rêveries à une action politique. Toutefois, c'est un fait aussi, est-il besoin de le souligner, que ce partisan qui semble sincère du bouleversement immédiat a été dès le premier jour de sa réflexion responsable, et au moment même où il parle d'action directe, occupé de façon quasi-exclusive par une pratique d'écriture; et qu'on sent bien que celle-ci ne lui paraît pas le divertissement qui laisse à leur place, sa petite heure passée, les structures de société que sa rhétorique dénie. De toute évidence a existé pour Rimbaud

une relation intime, organique même, entre son grand refus des aliéna-
tions d'Occident et cette pratique des mots qui se sait et se veut plurielle,
autonome, dégagée de tout impératif à court terme sinon verbaux, que
nous nommons le poème. Que cette recherche-là se révèle ou non, pour
finir, la réponse qu'il lui fallait à la question qu'il se pose, elle aura été
en tout cas son premier recours absolu autant que l'expérience qui le
retint jusqu'au crépuscule de ses rêves, et sans même pourtant l'avoir
jamais satisfait. Quelle que soit donc au départ notre idée des trans-
gressions authentiques, il importe, à mon sens, de profiter de l'occasion
qu'il nous offre, et d'examiner si la poésie n'a pas sa place elle aussi sur
les voies des changements de la société; qui sait même? si son intervention et son rôle ne sont pas les plus importants, que ne conteste ou
n'étouffe que ce qui est déjà une aliénation à nouveau, même dans ce
camp qui voudrait que le monde change.

Et l'on verra que se poser ces questions, ce ne sera pas s'éloigner de
Mme Rimbaud ni donc fermer ce chapitre: car c'est une fois de plus
dans la relation du poète enfant à sa mère, interrogée plus avant,
qu'apparaîtra la réponse — qui tient, je puis l'indiquer déjà, au double
aspect de ce que Vitalie représente: dogmatisme, avéré, au niveau du
sens, ambiguïté à celui des mots qui le portent, et désignation ainsi, dans
l'énigme, de l'être propre du signe. Dans cette perspective, que je vais
maintenant m'efforcer d'expliciter davantage, Mme Rimbaud se révélera
l'origine d'une vocation à la poésie autant que la cause d'une révolte.
Sa religion de l'image, nous la verrons triomphante, mais assez en
contradiction avec les termes qu'elle remploie, avec leur virtualité mal
éteinte, pour qu'en un point qui est une faille ait pu passer chez son fils
une intuition de la relation qui existe entre aliénation et parole. Et si
exemplaire a été la dialectique que je vais dire que je suis prêt à me
demander si ce n'est pas bien souvent dans le comportement de la mère
que l'enfant — l'*infans*, celui qui ne parle pas pleinement encore, qui
doit apprendre le possible propre des mots — puise l'étonnement ou le
doute qui vont l'attacher à jamais à la réflexion sur les signes, dans leur
mystère; et à l'énigme de leur faiblesse mais à l'espoir aussi que sont en
eux des pouvoirs.

III

Reprenons donc l'examen de ces *Poètes de sept ans* où Rimbaud a
décrit de façon certainement simplifiée, comme sous la forme d'un

mythe, mais c'est d'autant plus signifiant, sa prise de conscience première de l'existence en image. Il a marqué d'abord son refus de la condition qu'on lui demande de faire sienne, puis les pratiques rêveuses qui
lui permettent d'y échapper, mais soudain, juste après avoir évoqué ces
« visions » pour lesquelles il écrasait son « œil darne », il s'exclame
curieusement : « Pitié ! », et ce sont alors quelques vers qui expriment
un autre aspect des émotions qui l'agitent :

> *Pitié ! Ces enfants seuls étaient ses familiers*
> *Qui, chétifs, fronts nus, œil déteignant sur la joue,*
> *Cachant de maigres doigts jaunes et noirs de boue*
> *Sous des habits puant la foire et tout vieillots,*
> *Conversaient avec la douceur des idiots !*
> *Et si, l'ayant surpris à des pitiés immondes,*
> *Sa mère s'effrayait, les tendresses, profondes,*
> *De l'enfant se jetaient sur cet étonnement.*
> *C'était bon. Elle avait le bleu regard, — qui ment !*

« Elle », un regard qui semble d'amour, une accusation de mensonge,
c'est là certainement un passage très important, et aussi bien l'avais-je
déjà sollicité, autrefois, mais sans mettre suffisamment l'accent, à
l'époque, sur les divers niveaux de sa signification. Il y en a deux,
cependant, deux au moins qui sont essentiels, et le second seul nous
renseignera sur l'origine de la vocation poétique, le premier paraissant
plutôt en refuser la philosophie. Car, c'est bien clair — ou le semble —,
Rimbaud ne dit sa révolte, dans l'explicite de sa parole, qu'en l'engageant aussitôt dans ce qu'on peut dire l'action, aux antipodes de l'écriture. Avoir « pitié » de ces petits pauvres mais surtout vivre cette pitié
comme nous voyons qu'il le fait, en allant jouer avec eux, et longuement
leur parler, et écouter leurs voix basses, c'est plus qu'un simple refus de
l'existence scellée sur quelques valeurs rigides, c'est tenter déjà de
« dérégler » celle-ci en ébauchant l'acte qu'il va de soi qu'elle honnit le
plus : l'écoute de ceux ou celles qui n'acceptent pas ces valeurs ou qu'elle
a jugés méprisables. Rimbaud ne s'évade pas cette fois de par le fond
du système, grâce à l'échelle de soie de visions qui laissent intact le
monde, — il franchit, à découvert, une limite bien définie et que l'on
surveille : d'où, précisément, l'effroi de sa mère quand elle l'aperçoit
dans ce risque, et son plaisir à lui qui est de rêver un instant que cette
alarme a l'amour, le plus vrai amour, pour raison d'être. On voit bien

en effet quelle pensée le traverse, quelle illusion. Si Mme Rimbaud a eu peur, n'est-ce pas parce que des dangers certes minimes et même un peu dérisoires — les poux, la fameuse « gale » des autres du mythe petit-bourgeois — l'ont incitée malgré tout à s'inquiéter pour lui, pour lui comme tel, dans sa santé menacée, son bien-être atteint ? D'où suit qu'elle l'aime pour ce qu'il est, ce qui outrepasse et relativise son attachement aux principes et aux préceptes ? Au plus humble du quotidien, si ce n'est à son plus borné — mais ce n'en sera que plus émouvant — reparaîtrait ainsi l'intérêt pour l'autre, qui est la grande force qui défait les ortho-doxies et institue la parole. En réalité, et Rimbaud ne l'ignore pas et doit vite se le redire, sa mère ne s'alarme que des mauvais exemples, mots ou idées, qu'il pourrait rapporter de ses mauvaises rencontres et n'a donc fait une fois de plus qu'indiquer que ce qui importe pour elle, c'est l'idée qu'elle a de ce qu'il doit être, non ce qu'il est. Dans ces mois dont se souvient le poème, Mme Rimbaud s'impatientait, nous le savons, du logis qu'elle avait dû prendre dans ce quartier plus pauvre que d'autres, auxquels pourtant ses moyens lui donnaient droit de prétendre. Elle s'apprêtait à en repartir, pour « les Allées », et à faire inscrire ses fils à la très bien-pensante Institution Rossat, en attendant le Collège. L'effroi n'a eu de motif que le conformisme, lui qui devrait avoir signifié l'amour: et c'est pourquoi aussi bien ce regard « ment », dit Rimbaud.

Mais n'est-il pas remarquable qu'au moment même où il cerne de cette façon si précise le grand objet de son grand souci, Rimbaud ne le *nomme* pas, ne l'évoque pas même directement, se contentant d'indi-quer l'indice qu'il croit en avoir perçu, ce « bleu regard » auquel le contexte ajoute qu'il est un regard effrayé ? Et ne faut-il pas reconnaître dans cette attention à ce qui n'est, en un sens, que l'enveloppe du senti-ment la manifestation d'un autre souci chez l'enfant que l'attente de l'affection de sa mère, — un souci qui n'est pas moindre peut-être, puisqu'il a pu, après tout, prendre le pas sur son concurrent dans l'expression effective ? En vérité, ce regard — la seule réalité, notons-le, qui soit restée dans le champ de l'autre regard, si avide — n'est nulle-ment une chose simple, et il importe à mon sens de l'analyser avec soin. Disons qu'il est à la fois indice et signe, et cela soit directement, soit au prix d'une métaphore. Pour autant qu'il est effrayé, ému, le regard de la mère n'est qu'un indice, celui du trouble qu'elle ressent, comme la rougeur du front ou la fièvre le sont d'un sentiment gardé tu. Mais,

Rimbaud le souligne bien, ce regard est « bleu », ce bleu est essentiel à l'illusion qu'il se crée, et du coup voici qu'interfère avec la première une sorte tout autre de lecture. Pourquoi le bleu émeut-il l'enfant, pourquoi semble-t-il ajouter aux indications de l'effroi dans cette suggestion d'une présence affective dont on ne puisse douter ? Evidemment parce que le bleu, qui est lumière, qui fait penser à l'éclairement, à la transparence, évoque, par une métaphore très immédiatement perceptible, très éloquente, l'idée de la dissipation des nuées, des orages, des repliements orageux de la conscience sur soi, ce qui est bien ce que l'amour accomplit quand sa parole s'élève. Le bleu suggère donc, ou si l'on veut semble signifier, cette parole « ouverte » que j'ai déjà définie. Et maintenant surtout que l'émotion qui a troublé la couleur semble ancrer cette suggestion dans un vécu effectif, c'est le fait de cette parole vive qui semble donc établi, c'est un système de signes — que ce soient nos mots ou des gestes chargés de sens — qui se déclare capable de s'arracher à la pesanteur des clôtures, des dogmatismes : de ce que j'ai nommé la célébration de l'image, la dévotion à l'orthodoxie.

En bref, le « bleu regard » est pour Rimbaud la manifestation, ou le rêve, d'un signe qui serait vie. Et quand après le rêve ou par en dessous il lui faut se rappeler ou comprendre que ces yeux « mentent », que l'amour de Vitalie Cuif ne fut en ceci encore qu'une illusion, eh bien, ne doutons pas que cette déception et cette inquiétude s'étendent tout aussi bien à notre système des signes, qui avait paru rédimé. L'émotion, ce n'a donc été que l'aridité habituelle, et pourtant le regard est bleu ? On peut ne vouloir au profond de soi que la perpétuation de l'image, et pourtant on va répéter, à la maison, à l'église, ces phrases qui réfèrent à la charité, à l'amour : preuve donc que les mots, qu'ils aient eu ou non un sens plein un jour, peuvent se vider de ce sens sans changer dans leur aspect, dans leurs relations mutuelles, — peuvent « mentir » ? Ne faut-il pas s'inquiéter, vraiment, de cette étrange dualité, ou duplicité, du langage ? De cette faiblesse mystérieuse, de ce danger qui menace toute parole de vie ? Tel est l'autre, et le plus secret, des deux contenus de pensée dont *Les Poètes de sept ans* ont consigné l'origine. A une réflexion sur une parole menteuse, sur le manque que l'on découvre au lieu même où l'on croyait la présence, ce grand poème ajoute la question non moins douloureuse qu'a éveillée, en combien de nous ! l'étrange aptitude des mots à se prêter à ce vide : le péché, peut-on dire, originel, du langage.

Et c'est précisément cette découverte qui fait comprendre — je puis y revenir, maintenant — que ce partisan résolu de « changer la vie », et qui n'eût pas craint la violence, ne se soit pas jeté, directement, dans l'action révolutionnaire. Aussi sincère soit-elle, en effet, aussi ardente et bien intentionnée se sente-t-elle en son origine, l'action est pénétrée de langage, c'est toujours la parole qui la décide et la règle : et ne faut-il donc pas faire l'hypothèse que, sa « minute d'éveil » passée, elle pourra mentir, elle aussi, mentir sans s'en rendre compte et sans même avoir à changer de mots ? Que faire, par conséquent, si ce n'est travailler d'abord, et longtemps, sur cette parole où tout se joue et tout aussi peut se perdre ? Qui fonde l'être, quand elle s'ouvre, mais peut laisser un non-sens profond anéantir les plus belles causes ? Rimbaud a certes voulu que la Commune triomphe, que la constitution soit changée, que soient combattues les misères — mais il sait que pour lui au moins, qui a pris conscience, d'autres urgences existent, d'autres questions sont à poser, d'autres problèmes sont à résoudre.

Il se demandera, notamment, et nous voici désormais au cœur de sa pensée propre, au seuil de sa poétique, si cette aptitude à se parceliser, à s'éteindre qu'il a constatée dans les mots ne serait pas, première hypothèse, optimiste, un accident de l'histoire, ce qui laisserait intactes, pour l'avenir, les espérances qui sont en nous. En fait, à cette époque de l'Occident et à Charleville en particulier, Rimbaud pouvait trouver à deux pas de lui quelques raisons pour le croire. Le Christianisme, pense-t-il, est le « voleur des énergies », la pensée irréaliste, utopique qui nous prive de la nature, du corps. Dans les langues qu'il a formées et contrôle les réalités essentielles ne sont plus nommées, nos vrais besoins en sont donc frustrés : et d'autres prennent leur place qui, étant de l'irréel, laissent le corps insatisfait, l'âme vide, et nourrissent ainsi cet appétit de pouvoir et ce goût pervers de l'abstrait qui font que l'on peut aimer de n'exister, comme Mme Rimbaud, que par l'Idée, en image. Nous n'avons que de mauvais mots, et c'est pourquoi nous courons le risque de la mauvaise parole. Telles sont les pensées ou les rêveries qui hantent la lettre à Paul Demeny, laquelle est contemporaine des *Poètes de sept ans* ou sinon la précède de bien peu. Et ce grand manifeste du recommencement absolu nous apprend aussi les possibilités qui nous restent. Nous sommes empiégés, c'est un fait, puisque nos représentations, nos valeurs, nos comportements font avec nos mots un tout que notre critique ne peut pénétrer qu'en s'affaiblissant, s'altérant.

Mais renonçons aux pauvres plaisirs que ce système nous laisse, aux demi-connaissances qu'il nous permet, brisons en nous, par une violence, toutes ses catégories, toutes ses habitudes sensibles, et, la table rase étant faite, le fond reparaîtra, notre future harmonie. Rimbaud rêve en cette saison d'une langue à venir, universelle. Il pense que rejointant la réalité et les mots cette langue vouerait ceux-ci à l'évidence, empêcherait que s'arrête en eux la circulation des forces, des sèves: « langue de l'âme pour l'âme », nous embrasant de l'« amour universel » sans résistance possible. Et il a tenté ce travail, nous le savons par les révélations d'*Alchimie du Verbe*, au point de risquer la folie.

Mais il s'était demandé aussi, dès les premiers jours de sa réflexion sur la société et sur sa parole, si l'instabilité de cette dernière, si la « chute » qu'elle peut faire si aisément, en son acte même, dans le gouffre soudain désert de ses mots pourtant inchangés, ne sont pas inhérentes à tout système verbal: ce qui expliquerait comme son simple reflet la faute originelle des hommes que le Christianisme décèle, et ferait donc de celui-ci, simplement, une conséquence et non une cause de la dégradation du langage... La preuve que Rimbaud a mené aussi cette seconde sorte de réflexion, c'est qu'au moment même où il va se livrer au « dérèglement de tous les sens », préparation du verbe nouveau qui devrait suspendre toute écriture qui n'en serait pas la recherche, il emploie avec un sérieux intense, dans ses poèmes, la langue dont il dispose: disant ainsi que c'est sans attendre les « dégagements rêvés » à venir qu'il faut essayer de parler. — Et en ce point nous touchons donc au problème du poétique, nous abordons la relation de Rimbaud avec l'expérience qu'il a menée si loin pour notre bien qui demeure.

Comment, pourtant, en être venu à penser que c'est le poème la voie? Découvrir le défaut du signe ne devrait-il pas, au contraire, nous inciter à de la méfiance à l'égard de ce qui en est un emploi que le besoin de l'échange ne semble guère déterminer, c'est le moins que l'on puisse dire? La « faute » de la parole tient évidemment à ce que les mots, lors même que nous essayons de les requérir à une écoute authentique d'autrui, ou de nous-mêmes, ou du monde, se regroupent en des structures, moment de formulation nécessaire mais qui risque de se figer et tend à durer comme tel, bouchant ainsi notre horizon de recherche: à se faire langue, et réponse, quand il aurait fallu que la langue acquise, établie, se relativise, devienne. Or, le poème offre le même danger, si ce n'est pas qu'il l'aggrave. Transgressant, certes, les codes de la parole

ordinaire, mais multipliant de ce fait les polysémies, les images irration-
nelles, c'est un fourré où abondent les occasions d'expression symbolique de notre désir inconscient, qui, tout aussi fermé et égocentriste que
celui de Vitalie Cuif, fera régner dans les moindres mots cette fois encore
l'économie de l'image. Le poème complique et de ce fait obscurcit la
fatalité de structure qui pèse sur la parole, mais il l'enrichit aussi bien,
la nourrit de notre être plus intérieur, que Vitalie censurait, — et on
peut donc craindre qu'il la renforce. Et c'est d'ailleurs ce que Rimbaud
lui-même a déclaré, tout à fait clairement, dans *Ce qu'on dit au poète
à propos de fleurs* par exemple, où il s'en prend avec ironie et colère à la
tradition lyrique, qui prétend chanter ce qui est mais enfoui, dans cet
amour prétendu, des besoins et des intérêts qui demeurent le fait de la
personne. Critique que reprendraient à leur compte, soulignons-le pour
finir, ceux dont j'ai déjà rappelé qu'ils ne pensent pas qu'on puisse
s'attacher à la poésie si l'on se soucie de renverser ou de réformer un
ordre social. Oublieux que l'action, comme tout ce qui est humain, est
tout autant du langage, et de la parole, que l'écriture proprement dite,
ils reprochent à celle-ci de garder clos le poète dans un réseau de représentations et d'images qui ne signifient que sa différence et n'a d'intérêt
que pour soi.

Mais Rimbaud n'a pas entendu ainsi l'opération de la poésie, et le
moment est venu pour moi de préciser comment se concilièrent dans
son esprit — et son cœur — le désir de « changer la vie » et le travail
d'écriture: comme aussi bien quelle lueur cette conception qui fut
sienne peut jeter sur l'origine et l'essence de la vocation poétique. —
C'est vrai que toute écriture se « ferme », Rimbaud lui-même en est
preuve. Dans *Les Poètes de sept ans*, qui est le texte même où s'inscrit
son commencement, la poésie ne se signifie qu'en désignant le poète,
qu'on voit songer à l'action, comme un rêveur et un solitaire. Veut-il
combattre, écoute-t-il « rire et gronder » dans les faubourgs proches
cette foule ouvrière qui a pris à Paris les armes, il reste que « vaincu,
stupide », il doit avouer qu'il « gît » dans les visions insensées que l'œil
intérieur lui procure ou de longs rêves dûment organisés et repris qui le
conduisent, c'est significatif, au désert, où la liberté ne va « luire » — on
dirait d'une eau basse au loin, c'est un bien purement physique — que
dans et grâce à la solitude. Quant à la scène dernière, que l'on voit
s'élargir peu à peu aux dimensions du monde qu'elle remplace, c'est
la chambre de cet enfant, dont les persiennes sont gardées closes pour

que le jour du dehors ne gêne pas les fantasmes. Et entre temps a paru, bien différente des petits pauvres qu'il recherchait par défi, la « fille des ouvriers d'à côté », qui appelle aussi à des jeux. Celle-ci, quatrième iris à être évoqué dans ces vers, a l'œil « brun » des Espagnoles ou Italiennes des magazines, ce qui signifie la sexualité, les plaisirs : l'amour mais dans une acception bien distincte, au moins du temps de Rimbaud, de ce grand allant spirituel qu'il recherche dans la clarté de l'œil bleu. Cette enfant est la « camarade » qu'il rencontrera ou pourra rêver rencontrer à diverses époques de sa vie et pour des moments toujours brefs, elle ne saurait être jamais « l'Epouse », dont la recherche et le choix, sous le signe d'un vrai échange, eussent marqué la victoire sur l'interdit maternel. Et en retour Mme Rimbaud peut bien tolérer l'œil brun, malgré ses menues inconvenances, puisque ce sont des jeux qui restent furtifs. Il est remarquable d'ailleurs que son fils ne se remémore plus tard ces brèves visites de la fille un peu plus âgée qu'en soulignant bien — « Huit ans ! » s'exclame-t-il, « Et, par elle meurtri des poings et des talons » — une ombre de masochisme en sa façon de les vivre : ce qui trahit à mon sens la dépendance en laquelle il se sent et peut-être même s'accepte par rapport à la mère et à sa loi.

Il reste que ces diverses désignations de la solitude et du rêve ne sont pas les simples indices qu'une vérité refoulée laisserait filtrer sous une parole tout autre, mais des indications que Rimbaud lui-même a médi-tées et nous livre, par un travail d'élucidation qui va infiniment plus avant, dans l'introspection et le souvenir, que ne le font la plupart des observateurs de l'époque, trente ans tout de même avant Freud. Une dualisation s'est produite, dans ce poème, celle du rêveur et de son témoin, cependant que la qualité poétique, cette somme des impressions qui nous viennent des rythmes, de la musique des mots, de la fraîcheur des images, semble bien résider ici, par la clarté, la simplicité, la gravité résolue, du côté de celui qui cherche la vérité et admet donc le regard d'autrui même dans sa chambre aux persiennes closes. Dans ces *Poètes de sept ans* comme dans *Les Premières Communions* ou deux ou trois autres poèmes du printemps de 1871, la régularité prosodique qui avait tant contribué, par l'alexandrin surtout, à insulariser les grandes paroles du Romantisme — qu'on songe au monologue hugolien, aux soli-loques des *Destinées*, aux miroitements sans fond du beau vers clos des *Chimères* — se propose soudain comme le mètre « étalon » dont la mesure conventionnelle mais souple et aux implications rationnelles aiderait à trancher dans les nœuds et replis du rêve, écartant l'allitération suspecte ou l'image trop autonome, ce qui permettrait à la fois la présentation à autrui d'une hypothèse de sens, honnête autant que profonde, et cette ardeur et cet enthousiasme qui naissent des grands rythmes et portent les grands espoirs. Avons-nous dans ces vers l'exemple de ce qu'aurait pu être un alexandrin « fils des Droits de l'homme », républicain, capable aussi bien de l'expérience morale que de suivre la prochaine psychanalyse dans l'écoute de l'inconscient et le déjouement de ses égoïsmes: actif, en somme, devant ces débordements de l'imaginaire que la poésie d'autrefois ne faisait jamais que subir ? Cette forme n'a pas eu lieu, la dissociation des orthodoxies qui caractérise ce siècle ne donnant cours parmi nous qu'à des individualités resserrées chacune sur sa vision plus ou moins inquiète. Mais chez Rimbaud nous l'apercevons, nous comprenons ce que pourrait être, même dans le champ des polysémies, une volonté de lumière, un projet de rencontre de la parole de l'autre; en bref, nous comprenons qu'existe dans le travail du poète une autre loi, une autre cause de devenir que l'acceptation les yeux clos des fermentations, coagulations, cristallisations et brusques chimies de l'écriture du rêve.

Or, ce principe, cette seconde loi de la création poétique, nous ne pourrions aussi que les retrouver, contrebattus, en difficulté, mais distincts et comme animés par une énergie, si nous examinions maintenant la suite de l'œuvre de Rimbaud, puisque celle-ci est faite tout entière, c'est bien connu, de ruptures avec la création de la veille, de recommencements, de ce qu'il nommait des « départs »: et qu'il est clair que c'est justement le besoin de la vérité, devant soi et devant les autres, qui à chaque fois s'est impatienté et a tranché. Cette exigence sévère, c'est elle qui avait déjà coupé court aux exaltations de *Soleil et chair*, au profit de la connaissance de soi, individualisée et mieux située dans l'histoire, que voit grandir ce printemps 71. Mais c'est elle tout aussi bien qui va craindre bientôt que cette sorte d'introspection ne demeure la prisonnière des catégories d'une langue infirme, et va décréter contre celle-ci le « dérèglement de tous les sens », quitte à comprendre en 1872 que « la terreur venait », et « la folie qu'on enferme », et reprendre alors ce questionnement lucide qui, par le gué de *Mémoire*, dans l'étincellement de la boue des souvenirs et des rêves, pourra atteindre la rive sèche d'*Une Saison en enfer*. Toujours Rimbaud, qui s'engage résolument dans les cercles de l'écriture, en veut rompre l'enfermement.

Et toujours aussi bien il laisse derrière soi dans l'écriture forcée la trace qui est lumière, j'en donnerai un exemple. C'est celui de la représentation d'autrui, comme telle, dont on peut certes penser que dans la trame de l'écriture, qui la censure mais la redoute, elle va subir des déformations parmi les plus insidieuses. Il en était ainsi dans le *Forgeron* où, pour signifier, généreusement, l'exclu de la société dont il se sentait l'enfant responsable, Rimbaud donnait la parole à un ouvrier qui ne faisait qu'en redire, sous un semblant de polémique éloquente, la morale idéaliste et irréaliste. Cette image de l'autre *au positif*, avec des traits dessinés, est toujours naïve sinon menteuse. Elle cautionne sans véritable dialogue les catégories de pensée qu'on a employées à la concevoir. Mais des exclus des *Poètes de sept ans* remarquons maintenant que Rimbaud ne dit rien si ce n'est le manque qui les affecte de ce qui compte pour lui — ou qu'on inscrit à son compte. Lui, notamment, a le « front plein d'éminences » — « tous les dons », comme dira encore de lui Verlaine, ce sont les « bosses » que palpait la phrénologie, et qui sont destinées à fructifier au Collège —, eux, par contre, ne présentent que des « fronts nus », étant ces « idiots » dans lesquels le latiniste qui a écrit ce poème sait bien entendre *idiotus*, et l'idée de l'inéduqué, de celui qui va rester ignorant parce qu'il appartient à la classe pauvre. Ces enfants n'ont rien, ne sont rien, page de la donnée biologique que la société laisse blanche. Mais de ce fait, aussi bien, on peut commencer à penser qu'elle n'y imprime pas davantage ses limitations que ses biens, et on se prend donc à rêver sur eux, qui apparaissent bien plus, dans leur silence et leur peur, que la belle image facile que le forgeron de l'ancien poème calquait sur les remords de son adversaire... C'est l'époque, n'oublions pas, ces années de la poésie de Rimbaud, où triomphe la nouvelle grande industrie, qui a tant détruit du passé du monde. Dans les faubourgs neufs sans structure a commencé de s'accumuler la première *double misère*, celle qui ajoute à la pénurie matérielle et à la laideur des lieux, « dans l'épaisse et éternelle nuit de charbon », le dénuement culturel d'êtres que les besoins de l'usine ont arraché au village, où respire un moment encore la religion de la terre. Mais quand on regarde aujourd'hui les accablantes photographies de la fin du siècle, avec ces enfants hâves et effrayés sous les murs de brique sale ou de plâtre noir, non, ce n'est pas seulement l'idée pessimiste de l'aveuglement universel et de la violence qui s'en dégage, il y a là, comment dire ? une lumière sous le boisseau, on sent que l'esprit a dans ces haillons son avenir le plus pur. Telle est l'intuition de Rimbaud aussi, qui voit passer son « Génie » dans le ciel des migrations modernes et de la souffrance. Et, ayant croisé ces regards où l'angoisse ou la résignation ont effacé les intellections et les certitudes qui enrichissaient les autres époques — qui les bornaient, aussi bien —, il nomme « l'œil déteignant sur la joue », l'iris qui semble incolore de l'intouchable ou du sacrifié par opposition radicale — mais sans précisions abusives, sans projection de ses propres rêves — au mode d'être qui en son temps prédomine: le « bleu regard », mais « qui ment », de tous ceux ou celles que satisfont l'absolutisation pourtant dérisoire de leur petit arpent du devenir de l'esprit.

Mais ce n'est pas seulement cette désignation du point par lequel les sociétés s'ouvrent à plus qu'elles-mêmes que je voulais faire remarquer, et j'attirerai l'attention, maintenant, sur une conséquence qui en résulte dans le poème et du point de vue cette fois de son être propre et de l'avenir chez Rimbaud de l'acte de poésie. C'est d'un élargissement qu'il s'agit, par la vertu duquel ce signifié que j'ai essayé de décrire — l'*autre* du groupe social, qui peut en relancer la maturation collective — se fait le signifiant d'une altérité, et d'un devenir, encore plus radicaux... De la présence d'autrui, dans *Les Poètes de sept ans*, on vérifiera d'abord aisément qu'elle se limite à ces « fronts nus » et ces « maigres doigts », puisque la « mère » évoquée dès les premiers mots a sacrifié, comme nous savons, sa qualité de sujet, cependant que la petite fille à l'œil brun ne vient et ne compte que pour le jeu, qu'elle signifie spécifiquement. L'« autre » n'a donc été repéré que par la case vide de la structure sociale, c'est-à-dire par une absence, sous le signe d'un indicible, d'un au-delà pressenti de la langue que l'on pratique: or, n'est-ce pas du coup cette indicibilité comme telle, cette apparition en énigme, riche pourtant d'avenir, qui va se signifier maintenant comme la forme obligée des manifestations authentiques de l'être propre d'autrui dans la parole du « moi », — privant celle-ci à jamais de cette suprême preuve de sa valeur absolue qu'est la formule qu'on sait donner de l'inconnu qu'on redoute ? Un peu comme dans certaines théologies de l'abaissement des images, l'intuition de l'en dehors d'une langue a cessé de prendre forme, positivement, naïvement, dans une représentation cohérente, qui ne ferait jamais que confirmer les catégories qui la disent, elle ne va plus que retentir, parmi ces notions et ces mots, par le trouble qu'elle répand dans leur sentiment de pouvoir tout dire. Mais elle *agit*, en cela, au lieu simplement d'être objet, elle se fait dans la profondeur de la langue une incitation à l'écoute; autant qu'en poésie une raison convaincante de renoncer aux belles illusions de ces structures trop assurées que les poèmes mettent en place.

En bref, dira-t-on que Rimbaud s'est enfermé dans son rêve, s'est voué à la solitude, comme lui-même semble le croire: ce ne sera pas, en tout cas, dans ces *Poètes de sept ans* comme dans bien d'autres poèmes, sans les avoir ébranlés jusque dans leurs fondements de représentations ou symboles, y portant la faille de l'inconnu, faisant de cette faille le signe au-delà des signes, celui qui seul ne ment pas. Et la conséquence pour nous de cette profération dialectique, qui se heurte à son propre manque et s'enrichit de le reconnaître, c'est qu'il nous faut nous interroger de façon sans doute aussi plus complexe sur l'opération de la poésie. Qu'est-ce que cet effet de vérité plus profonde, de parole soudain « ouverte », qui se produit dans ces vers ? Est-ce quelque chose d'accidentel par rapport à la qualité poétique, qui ne tendrait qu'au déploiement par polysémies et images de l'être de la personne, — ou le comble de cette qualité toujours discutée et qui reste obscure ? Faut-il définir la poésie comme la suprême expression de la langue d'un individu ou d'un groupe, ou nous demander si, la plus haute expérience de tout système de signes étant de s'ouvrir à l'idée de sa limite, de son insuffisance foncière, le passage de l'orthodoxie pleinement, richement, vécue à la pensée de la faille — et à son dynamisme, à son esprit d'avenir — n'est pas une richesse plus grande encore, et qui mérite au moins autant que tout autre d'être appelée poésie ? Après tout, si même on tient pour acquis que le poème soit au total la forme d'un être-au-monde, il faudra bien concevoir que son auteur puisse reconnaître que d'autres de ces formes existent, plus englobantes, plus fortes, et y songe, et s'y exerce, et vise à travers elles et bien plus loin que le « moi » vécu un moi universel qui serait, au fond de la perception, au terme peut-être de l'histoire, le seul plan légitime de l'intelligence de l'être. Ce qui fait que la poésie, ce serait aussi bien cet « en avant » du plus haut désir, et son tâtonnement dans la destinée, que la gestion des autres désirs du poète et de leurs satisfactions symboliques.

Disons, en somme, qu'il y a deux sortes d'esprits dans l'histoire de ce qu'on désigne, et à tort peut-être, par le seul nom de la poésie. Les uns qui se satisfont de leurs mots, et tendent donc au poème comme à la *forme formée* qui en réfléchit les relations arrêtées: la signification n'existant là, infinie, que comme le son qui passe sur les cordes de l'instrument de musique, et l'inconscient y gagnant de prendre forme visible et en sa profondeur de se mettre en ordre, sans avoir eu à relativiser son désir ou avouer son secret. Poètes de cette sorte furent, bien sûr, Edgar Poë ou Nerval que j'évoquais tout à l'heure, et Baudelaire parfois — celui de *L'Invitation au voyage* — et même Rimbaud, dans une certaine mesure, car il n'est pas de volonté de transgressement de la clôture d'une parole qui ne s'alourdisse jamais de son désir qui demeure, de son rêve qui ne veut pas s'éveiller. Mais le second esprit existe et perdure quand même, serait-ce dans l'ambition ou l'espoir plus que dans le fait chez beaucoup: et nous retrouverons là ceux pour qui les rythmes, les rimes évoquent d'emblée, d'instinct, la forme au-delà de toutes les formes, le verbe qui serait plus que nos langues, l'universel, — en bref, l'esprit qui va à sa transparence finale par dissipation des fantasmes de l'inconscient personnel. Ceux-là consentent bien au poème, ne serait-ce qu'en en faisant le miroir où ils pourront contrôler leur travail de recherche d'autre façon invisible; mais ils en comprennent le grand danger, et ce travail, c'est d'abord pour eux d'en refuser l'orthodoxie en puissance, et donc de passer d'une tentative à une autre dans ce qui est, pour finir, non l'architecture d'une œuvre, mais la vérité d'un destin. Ils cherchent, ne trouvant pas. Et il va de soi, c'est là et enfin répondre à la question qui s'était posée tout à l'heure, qu'il n'y a pas pour eux de contradiction, ni en théorie ni même en pratique, entre leur refus des structures closes, dans la société où ils vivent, et leurs errances dans l'écriture. Plutôt penseront-ils, et à mon sens de plein droit, que, loin de contredire l'action, cette expérience qu'ils ont des limites de la parole est la seule façon qui soit de la protéger de l'inertie du langage, de cette disponibilité de toute formule à tant d'autres fins que son dire propre. Ils ne croient pas au poème, cette retombée de la poésie, mais ils l'acceptent donc et même le veulent, comme le seul lieu où le signe humain peut se voir s'aliénant et se ressaisir, — pour peu, bien sûr, qu'une aspiration le soulève. En d'autres mots: quand l'idéologie, la philosophie même, oublient — et si vite — leur propre source, qui est l'étonnement, l'«émerveillement», le scandale, c'est-à-dire des actes d'amour, de vraie vie, eux qui sont mémoire la lui rappellent.

IV

Et nous voici devant Mme Rimbaud une nouvelle et dernière fois, puisque c'est de la conscience que prit son fils de son emploi restrictif des mots et des notions de notre civilisation pourtant établie sur des paroles d'amour qu'a découlé si évidemment sa réflexion sur la poésie. Mais le moment est venu aussi de quelques précisions ou retours qui permettront d'achever de mettre en place, par leur caractère plus général, le rapport en somme complexe et peut-être, en définitive, bien ambigu, qu'on peut pressentir au-delà de l'affrontement chez ces deux êtres chacun intense. Un premier point, qui m'a paru évident dès le projet de ces pages, c'est que, lorsqu'un esprit semble insatisfait dans sa relation à la parole ordinaire, soit qu'il en veuille une autre de plus de mots et de résonances, soit qu'il cherche plutôt à briser la gangue de conservatisme et donc d'abstraction dont les orthodoxies enveloppent même les mots les plus simples, — eh bien, il faut pour bien le comprendre examiner tout d'abord ce que fut sa mère, et ce qu'elle fut pour lui. Car l'antériorité maternelle préside aux rapports naissants de la conscience et du monde, c'est-à-dire à cette assez longue période pendant laquelle l'enfant ne sait ni ne veut encore se distinguer ni se séparer des choses, fussent-elles les plus lointaines, ni des êtres, seraient-ils les plus effrayants, et perçoit donc tout ce qui est comme non seulement une vie mais comme un regard qui s'attache à lui, comme une présence, intéressée à la sienne : comme une part, en somme, dans la relation d'unité de toute réalité à toute autre. Or cette sorte de co-présence plus intime à chaque être perçu alors que les mots mêmes qui le diront, plus importante que ces derniers, riche de plus de savoir et surtout de plus de possible, c'est — bien qu'encore toute passive et grevée des illusions et croyances vaines de la conscience magique — une intuition, malgré tout, de ce que pourrait être, dans l'avenir, la communauté qu'aurait rassemblée une parole vivante, un verbe comme les fondateurs de religions en promettent, ou quelques grands errants de la poésie. Et la mère est donc dès ce temps l'évidence vague de cet horizon de l'esprit, sauf que bientôt vont retomber sur ce premier sens peu dicible ces autres évidences que dictent le besoin de se sentir autonome, et les pulsions agressives, et le conflit des désirs. A « sept ans », comme a dit Rimbaud, s'est affermie cette affirmation de soi qui demande l'appui d'une langue que l'on contrôle. Du sein même de la présence parlante s'est élevé ce besoin de refermement sur soi qui semble inhérent à tout état de langage. Un péril est donc là, bien que sans figure bien discernable. Mais la mère reste impliquée dans les transformations qui vont se produire, ayant encore un rôle à tenir. Avant, elle avait simplement à être, dans cet acte d'amour qui déjoue — et aussi bien avec des mots, dans les mots — les gravitations de l'égocentrisme. Maintenant sa tâche est de comprendre ce qu'elle faisait ainsi, et de l'approfondir, de le radicaliser en soi-même autant que de l'enseigner à l'autre, en révélant par exemple qu'elle saura, quand il le voudra, abandonner à son jugement le choix qu'il fera d'autres affections. Plus que jamais quand l'enfant grandit, et surtout dans nos sociétés oublieuses, où le père est contraint d'inculquer au fils une loi qui désormais ne reflète plus que la nécessité extérieure, la mère garde, longtemps, la fonction, le pouvoir de préserver la parole. On doit donc s'attendre à la découvrir une des causes majeures, dans l'apparition quelquefois de la vocation poétique.

Toutefois, qu'elle soit ce qu'elle doit être, c'est-à-dire le don qui enhardit à donner, la confiance qui désenchaîne l'autre confiance, — et l'enfant qui accède ainsi à soi-même va certes pouvoir s'ouvrir à la présence de l'autre, soit aujourd'hui soit demain, et aux révélations les plus intérieures des sentiments les plus simples, ceux qu'on peut dire de jour en jour avec les mots les plus ordinaires : mais rien n'implique en cela qu'il s'intéresse jamais à la poésie, ou du moins à la création de poèmes, dont je rappelais tout à l'heure l'ambiguïté, et qu'elle suppose toujours la conscience presque obsédée du paradoxe des signes, et une pratique de l'écriture. Cette dernière même m'est apparue, je l'ai souligné, un acte de resserrement, de recentrement, du « moi », conscient ou non, sur lui-même ; et, s'il est vrai qu'elle se montre en cela une contestation de la loi — de la loi des autres — c'est davantage pour préserver son propre monde secret, dont la fragilité lui est perceptible, que pour commencer dans la destruction de ce que j'appelle l'orthodoxie l'entreprise de la parole. L'écriture a ses liens à l'enfance, c'est évident, mais pour en sauver l'illusion, le rêve d'une maîtrise magique sur les choses ou le destin, et non les belles minutes d'abandon, de confiance, de participation dans la joie à la présence d'autrui. — Pour qu'on naisse à la poésie, par conséquent, cette nostalgie de l'échange plein, ce vœu de la « réinventer » mais qui passe par l'écriture, il faut qu'on rencontre au début, et au même instant et sans doute à égalité — et dans une même personne, pour qu'on ressente un mystère — l'évidence qu'on est aimé et cette clôture des mots que j'ai appelée l'image, la célébration de l'image. Inciteront à cette inquiétude — la sensibilité poétique — des êtres qui se montreront déchirés entre les deux modes d'être du signe. Eveilleront à la vocation de créer — cette énergie qui reflue d'ailleurs — ceux et celles que leur affirmation violente mais malaisée de valeurs acquises révélera inaptes à faire mûrir leur pouvoir d'aimer autant qu'incapables de tout à fait le détruire.

Or, et ce que j'avancerai là est l'ultime et plus importante retouche au portrait que j'avais jadis tracé d'elle, tel fut à peu près le cas de Mme Rimbaud, à la réflexion: Mme Rimbaud dont l'acceptation des principes d'un milieu borné fut totale, je l'ai redit, et violente, mais dont la violence même trahit, à tout le moins, qu'il a fallu à un moment un combat, un combat « brutal » sinon tout à fait « spirituel », pour que sa décision d'existence aride triomphe. Mme Rimbaud? La religion de la loi, bien sûr, mais moins chez une dévote sans contradictions ni chaleur qu'au vif d'une convertie dont les transports, la rigueur, les excès dans l'affirmation de sa foi suggèrent l'ambivalence cachée, les irrespects refoulés. Et cette après-midi de 1854, devant ces enfants qui « conversent » — comme dit Rimbaud — à voix basse, le rigorisme le plus maussade, sur fond d'angoisse mais, la saison, les saisons d'avant, quelque chose de tendre et d'acceptant tout de même: Rimbaud eût-il éprouvé sinon son regret des « années enfantes » ou gardé si promptes et pures, pour ses moments de confiance, ses « délicatesses mystérieuses » ? Mme Rimbaud avait été l'autre, et même en ses pires moments elle en gardait une trace, insaisissable et resplendissante comme, sous le péché même triomphant, l'inaltérable grâce première. Elle avait eu son « tour de bonté », que son fils pressentait encore au nadir de la grisaille présente, même si ce feu passait maintenant si bas dans ce ciel obscur qu'il « serait plus long à se reproduire qu'une étoile ». Qui sait ? Peut-être surtout, une fois, un peu avant les sept ans d'Arthur, avait-elle été surprise, prise de court, mais non point tant parce que celui-ci et son frère devenaient ces graines d'adultes, qu'il lui fallait soumettre à la loi, en hâte, que par un dépit en elle et une colère qui témoignaient — et c'était cela l'insoupçonné, l'humiliant, — qu'elle avait aimé, et aimait encore... Nous ne savons presque rien des circonstances exactes de sa séparation d'avec son mari, à part le fait qu'elle a lieu quelques mois avant ce moment que Les Poètes redisent, et après de vives disputes. Mais il n'y a guère à douter que l'enfant « très intelligent » qui l'obser-

vait ne les ait comprises, — or, *Mémoire* indique fort clairement que
si « Madame » se tient « trop debout », noire et froide parmi les fleurs,
c'est depuis « le départ de l'homme ». Moment, cette dernière rupture,
où, blessée, atteinte dans son orgueil, « Madame » avait bien dû décider
que les hommes, c'était l'incontrôlable, le mal, se vouant à mieux, à
plus sûr. Moment, hélas, où elle a peut-être fait pire, s'il faut se souvenir
en ce point de sa phrase étrange de cette lettre tardive, sur ces enfants qui
l'avaient fait « tant souffrir », l'empêchant ainsi d'être heureuse avec le
capitaine Rimbaud. Une phrase étrange, certainement, car comment
les incartades d'Arthur, des années plus tard, ont-elles pu altérer son
bonheur d'avant ? Ou, s'il s'agit du petit garçon, comment ses quatre ou
cinq ans d'alors ont-ils pu avoir tant d'effet sur la tranquillité de sa vie ?
Mais on peut aussi supposer que Vitalie comprenait que ces enfants
trop nombreux ne convenaient pas à ce mari de passage; et qu'elle en a
voulu à ses aînés d'exister, au moins aux marges de sa conscience, quitte
à justifier à ses propres yeux cette gênante vindicte par un jugement sur
leur façon d'être. Nous toucherions là une des raisons de sa sévérité à
leur égard, dans les années qui suivirent: ce moralisme rigide cachait
peut-être aussi son désir de se croire elle-même irréprochable.

Beaucoup d'éléments, au total, concourent donc pour que la fin
de la petite enfance d'Arthur Rimbaud n'ait pas été simplement la
situation la plus ordinaire, celle du feu sur quoi retombe la cendre, mais,
chez Vitalie, un moment de crise et chez son fils, en retour, les questions
de l'affection qui s'alarme autant que les « répugnances » si fortement
— trop fortement — proclamées. Une crise, le plus intense de l'engagement dans les bataillons de la loi, vindicatif et sécurisant, mais à l'heure
où demeure à vif la déception qui le cause. De la paix qui viendra de
cette loi, rien encore, mais pour un temps les remous de l'adhésion qui
n'est pas moins difficile quand on la consent jusqu'au bout, si ce n'est
même avec trop de zèle. Et de sa part à lui, l'enfant étonné, à la fois la
constatation indéniable qu'un changement a eu lieu, et un doute qui
n'en finit pas de reprendre: perplexité, désarroi, qui le poussent à ces
provocations, des expériences en fait, et des espérances. Ce « bleu
regard », qui ment maintenant, le fait-il vraiment, va-t-il mentir pour
toujours ? Cette sécheresse qui a tout pris, n'est-ce pas, malgré l'évidence,
une attitude, un dehors, — le rien d'un discours d'emprunt que quelques
mots vrais arrachés comme par surprise pourrait d'un coup dissiper ?
Mystère de ces consentements de tout l'être, où pourtant l'on sent une

faille. Mystère de ce péché qui abonde mais dont on ne peut s'empêcher de croire que la grâce y pourrait descendre, surabondant. Mystère de la parole.

Je fais l'hypothèse, on le voit, que Rimbaud a bénéficié — si c'est le mot qui convient — d'un de ces exemples de conversion, de refoulement, de tension, dont on peut méditer les termes antagonistes et recueillir l'enseignement d'énergie — peut-être aussi, hélas, de brutalité aveugle — quand on va décider d'en changer le signe. Bien différente de celle de l'amour vrai, mais aux antipodes encore des tiédeurs et des ignorances de la conscience qui est née serve, la parole de Mme Rimbaud fut de celles qui, tout en aliénant, donnent beaucoup à comprendre, puisqu'elles mettent à nu l'articulation dialectique des deux niveaux de l'esprit. A écouter ces voix-là on peut s'ouvrir aux spéculations métaphysiques ou religieuses, on peut aussi mûrir à cette sensibilité si rare autant que si spécifique qui aime visiter les profondeurs du langage, qu'elle sache ou non dans quel but. A les interroger trop souvent, à s'étonner de leur paradoxe mais fasciné par leur force, on risque aussi, réciproquement, de se retrouver prisonnier de leurs façons, de leurs manques: ces ardeurs sombres, disons, ces orgueils, ces volontés de domination qui ne cèdent pas dans l'amour. Certes, bien des périls menaçaient Rimbaud.

Mais ce n'est pas ceux-ci que j'évoquerai pour finir mais un ou deux autres qui naissent, dans ces filiations héroïques, du simple fait que l'amour n'y ait pas mûri. — Tout enfant, je suppose, tout adulte qui se tourne vers son enfance, souhaite passionnément que ses parents se découvrent également passionnés. Se penchant sur des reliques, quand il ne les aura plus, ce sera pour s'émouvoir de découvrir, ou de vérifier, que cette mère ou ce père ont aimé, vraiment aimé, quoi ? peu importe, une chose, un lieu, le pays de leur enfance: comme si c'était là la preuve rétrospective de son existence à lui, de son droit à se sentir être. Et quand il est advenu qu'on ait fait à quelque moment l'expérience de l'aridité de l'âme chez une mère, et décidé par la suite de devenir, non le dévot à son tour de cette religion de l'absence, mais le héros de l'esprit qui libérerait la parole et changerait le destin de tous, à plus forte raison voudra-t-on rappeler d'abord à la vérité spirituelle celle dont l'attitude trouble toujours. Qu'aurait-on obtenu si, l'ayant encore avec soi, on ne savait pas la rejoindre en sa qualité première, pour la rendre à sa liberté ? Tel fut Rimbaud, telle sa pensée, ce n'est que trop clair, des *Etrennes des orphelins* à *Mauvais Sang*, à *Enfance*. Ce n'est pas seulement *Mémoire*, c'est tout le tissu de l'œuvre qui s'illumine et se durcit tour à tour d'une sévérité, d'un espoir, d'un rêve, d'une exigence. Et quand, dans *Première Soirée*, l'adolescent nous apprend, de son amoureuse de songe, qu'elle est

> *Assise sur ma grande chaise,*
> *Mi-nue* [...]

ou dans *Les Déserts de l'amour* que s'il était si ému de la venue vers lui de « la Femme », c'est « beaucoup parce que c'était la maison de famille », il nous faut reconnaître là, entre autres causes d'angoisse, son désir de voir réparé au lieu même du premier manque, et par l'assentiment de sa mère, le vol du cœur, la perte dont elle fut responsable de sa capacité de confiance.

Mais s'il en est ainsi, quel danger ! Qui est qu'à trop vouloir se réconcilier, et comprendre l'autre en sa faute même, on va prendre sur soi cette dernière, et donc perdre confiance en son propre pouvoir de la réparer. Rimbaud devient-il sa mère par simple hérédité, comme il le croit dès l'époque de ses poèmes, ou à cause de la fascination que je disais tout à l'heure, celle que provoquent les voix tendues : il reste qu'il a aussi sa façon de prendre à son compte quelques aspects de Vitalie qu'il réprouve, — et justement pour cela. On remarquera que s'il parle dans *Les poètes de sept ans* de ces yeux de sa mère qui signifient le mensonge, c'est en les gardant indéterminés : le bleu regard, alors qu'il a évoqué ses propres yeux bleus dès le début du poème, et cela au moment précis où il nous disait qu'il dissimulait quelque chose. Ne se persuade-t-il pas qu'il a autant que sa mère l'œil « bleu-blanc » de cette race « inférieure », de ce « mauvais sang » dont il pense, avec dépit et douleur qu'il n'a rien compris à la parole du Christ : qu'il est incapable d'amour ? Et quand il arrivera à Paris, quelques mois après ce grand texte de vérité, le voici qui va faire en sorte que Mathilde Mauté, la jeune épousée de Verlaine — la femme, donc, du poète — se persuadera, elle l'a écrit, que ses yeux étaient « bleus, assez beaux », mais « d'une expression sournoise »... Celui qui était venu pour une parole, pour un recommencement de l'esprit, en est donc déjà à douter de soi, à se mépriser, puisqu'il affiche, s'aidant de sa gaucherie, cette expression si

peu dans son caractère, et que va bousculer dans la photographie de
Carjat son vrai regard de poète.

Quitte à tomber, en retour, dans un autre piège, du fait de l'ambiguïté qui est inscrite dans tout poème mais peut s'aggraver chez lui,
nous allons le voir, de sa relation si complexe aux volontés de sa mère.
— On se souvient de cet « ange » qui souhaitait, dans les vers fâcheux
de Reboul, et au nom de la mère ou presque, que le petit enfant meure
avant d'atteindre à l'âge de la souillure. Avait-ce été là une incitation
sans lendemain, un péril dont Rimbaud aurait, malgré tout, triomphé ?
Tout de même, déjà, pour une autre de ces compositions en vers latins
dont les sujets furent si étrangement consonants à sa destinée en puissance, il lui avait été suggéré, sur quelques vers d'une *Ode* d'Horace, de se
rêver un poète, et il y avait consenti, on peut penser volontiers, mais non
sans pressentir, dirait-on, à quelle tentation désastreuse l'exposerait
cette vocation. Car là où le poète latin se contente de dire que l'enfant
choisi par les dieux reçoit de quelques colombes des branches de laurier
et de myrte, Rimbaud choisit de faire apparaître — après ces messagères
qui n'en étaient que le masque, puis une épiphanie de Phébus-Apollon
lui-même, symbole de virilité et de vie adulte — « toutes les Muses »,
qui le prennent dans leurs « tendres bras » et le choient, comme s'il
était au berceau encore... Hélas, pour qui a trop faim d'amour maternel,
le projet héroïque de réformer la parole, de l'arracher à l'impureté,
risque de se parer de séductions équivoques. Il sera aisé de comprendre,
l'inconscient y trouvant son compte, que les mots mêmes qui incriminent
en poésie les circuits clos de la langue des autres êtres peuvent s'immo-
biliser à leur tour dans cette langue privée que le poème devient ; et d'en
profiter alors, pour rêver à la qualité supérieure de cet idiome, pour
l'imaginer le reflet d'un verbe des dieux, en effet, parmi des langues plus
pauvres : en bref, et tout soucieux que l'on ait pu être du salut de tous et
de l'avenir, pour se sentir une sorte d'ange. Or, n'est-ce pas ce que la
mère voulait qu'on fût, ou devînt, aux années même où le rapport avec
elle était le plus intime, le plus confiant ? Et n'y a-t-il donc pas dans cette
rêverie, qui peut se faire projet par une décision inconsciente, un moyen
pour se réconcilier avec elle ? On aura calmé sa colère, au moment où
on la suscite. Et on pourra ensuite se venger d'elle, qui vient encore de
vaincre, en se faisant dans l'angélisme dont elle est cause l'ange mauvais,
le déchu, celui qui déçoit et même grossièrement, au moment précis où
l'on peut penser qu'il quitte à jamais la condition matérielle. Qu'on se

souvienne des vers de l'*Album zutique* sur « l'angelot maudit » ! C'est, exprimé avec des mots qui choqueraient Vitalie, toute l'ambiguïté du destin d'Arthur.

Preuve, d'ailleurs, de cette hypothèque angélique, aux vélléités suicidaires, qui grève ses intentions les plus hautes sont tout autant les diverses transpositions que l'adolescent fit subir dans ses vers sur l'*Ange et l'enfant* au thème pervers qu'on lui propose. Qu'on examine tant soit peu cette petite composition, dont les conditions de rapidité, dans l'accaparement de l'esprit par des soucis autres, firent un lieu idéal pour les automatismes psychiques, et on remarquera d'abord un ajout de quelques vers qui révèle à quel point Rimbaud s'identifie, concrètement, existentiellement, à l'enfant prié de mourir : puisque c'est déjà le décor et la situation dramatique des *Etrennes des orphelins*, qui sont des mois qui vont suivre. Au lieu du bébé inconscient que suggère de mettre en scène le texte très abstrait de Reboul, ce que voici décrit, en effet, c'est un enfant qui sait déjà qu'il a une mère, et rêve aux cadeaux qu'elle lui a faits, — cadeaux en quoi je reconnaîtrai, on ne s'en étonnera pas, les années premières, le « trésor à prodiguer » que dira *Jeunesse*. Puis Rimbaud exprime avec précision le souci que formuleront si intensément *Les Poètes de sept ans*, son obsession de l'insincérité des personnes et du mensonge des apparences. « Ici-bas », réfléchit-il (et je retraduis), on ne peut se fier à personne [...] De l'odeur même des fleurs monte quelque chose d'amer. » Et pour finir il fait du « Pauvre mère, ton fils est mort » de Reboul huit vers on ne peut plus troubles, où passent un grand souvenir autant que d'inquiétantes aspirations. On y voit la mère pleurer l'enfant. Puis celui-ci paraître, « sur ses ailes de neige », dans tous ses songes, et elle « sourit à son sourire, *subridet subridenti* », après quoi le fils « *illaque divinis connectit labra labellis*, joint aux lèvres maternelles ses propres lèvres divines »... Un grand souvenir certes, celui de la *IVᵉ Eglogue*. Dans le poème de Virgile aussi, en ses derniers vers, a brillé ce sourire par lequel un petit enfant reconnaît sa mère également souriante, et puise dans ce savoir de l'affection qu'on lui porte l'intensité de confiance — et d'abord en soi, mais en la vie aussi, comme telle — qui le rendra capable plus tard d'accéder à la table des dieux et même au lit des déesses. Un sourire alors faisait naître, — dont il faut remarquer aussi qu'en sa pureté authentique, d'amour donné et rendu, il ne se chargeait chez Virgile d'aucune équivoque sexuelle. Mais chez Rimbaud ! Toute sa sensualité malheureuse à la fois réveillée et dévastée dans cet échange qui contredit à la maturation, au destin, il nous montre quelles raisons paradoxalement bien charnelles, bien de ce monde qu'on finit par rendre pervers, déterminent la rêverie angélique; et pourquoi c'est y obéir qui va le prendre comme un vertige — *Vierge folle* en témoigne, mais aussi bien *Crimen Amoris* — à chaque fois qu'il essaiera de «changer la vie», et d'abord la sienne. Le consentement incestueux dans les cendres, ou les bancs de sable, de la révolte. Quelques *Illuminations*, aux mouvements de plongée, aux embrassements fugitifs de trésors qui scintillent loin, au lieu des *Premières Communions* ou des *Mains de Jeanne-Marie* ou des grands poèmes de vérité de 1872... Ne doutons pas que ce ne soit au plus intime et obscur de son rapport à sa mère que tout autant que le besoin de parole aura grandi peu à peu dans le destin de Rimbaud son renoncement à la liberté, et ces mots qui ne sont que rêve, et cet avenir de mutisme.

LOUIS FORESTIER

RIMBAUD ET L'AMBIVALENCE

Au dixième vers du premier de ses poèmes — *Les Etrennes des Orphelins* [3] — Rimbaud écrit que « la nouvelle Année [...] Sourit avec des pleurs »; dans sa dernière lettre, qu'il dicte à sa sœur le 9 novembre 1891, et dans laquelle, selon un critique, « l'incohérence abonde »[1], le mourant s'adresse au Directeur des Messageries Maritimes pour retenir ou modifier un passage supposé vers l'Afrique. On peut y lire ces mots: « Je désire changer aujourd'hui de ce service-ci, dont je ne connais même pas le nom » [707]. Aux deux extrêmes de ce qui nous reste de l'œuvre de Rimbaud, même attitude mentale: celle qui consiste à affirmer deux réalités opposées. Dans le premier des cas cités à l'instant, le rire en pleurs renvoie à une vieille tradition poétique, sans doute; la simultanéité des contraires n'en est pas moins affirmée. Le deuxième exemple est un peu plus complexe; c'est un malade qui parle. On pourrait, à la rigueur, mettre sur le compte du délire (et cela même est intéressant) l'affirmation conjointe d'une connaissance et d'une méconnaissance.

En fait, l'existence de ces contradictions est bien connue chez Rimbaud. Antoine Adam souligne, dans le début d'*Une Saison en enfer*, la présence de la phrase suivante qui affirme un mot de passe pour en proclamer aussitôt la perte: « La charité est cette clef. — Cette inspiration prouve que j'ai rêvé ! » [93]. Et le commentateur d'ajouter que ce passage est exemplaire « d'un mouvement que Rimbaud a renouvelé souvent dans *Une Saison*: deux phrases dont la seconde anéantit, pour ainsi dire, la première, et sans que rien indique cette volte-face »[2]. De

N.B. — Les nombres entre crochets [] renvoient à la pagination des *Œuvres complètes* de Rimbaud (éd. Adam) dans la Bibliothèque de la Pléiade.

[1] A. Adam, *Œuvres complètes*, p. LII.

[2] *Id.*, p. 953 (n. 8 de la p. 93).

son côté, Marc Eigeldinger est sensible, à l'intérieur de cette même
œuvre, à « la polyvalence des symboles » et à « l'ambiguïté du langage
poétique »[3]; ailleurs, étudiant l'image de la nature dans l'œuvre de
Rimbaud, il écrit très justement: « le feu et l'eau, le chaud et le froid
deviennent complémentaires et [...] participent aux rythmes de la nature,
d'une nature qui n'est jamais ni achevée ni statique, mais soumise à un
mouvement de recréation indéfinie »[4].

C'est la constatation de cette co-existence et de cette fécondité des
contraires qui m'a conduit à proposer quelques recherches sur la notion
d'ambivalence chez Rimbaud. Le terme d'ambivalence mérite explication. On le chercherait en vain dans les encyclopédies un peu anciennes
ou, même, dans le célèbre *Vocabulaire* [...] de Lalande, paru en 1925.
Le mot avait pourtant fait son apparition dès 1911. Il doit son existence
et sa définition au médecin suisse Eugen Bleuler, dont les travaux sur la
schizophrénie sont bien connus. Freud adopte presque aussitôt ce
vocable ou ceux d'*attitude ambivalente* (« excellente expression de
Bleuler », écrit-il dans *Totem et tabou*[5]. Le terme est, désormais, bien
connu des psychiatres, quoique employé parfois dans des acceptions
légèrement différentes.

Il faut distinguer l'ambivalence de l'ambiguïté, la polyvalence et la
bivalence. L'ambiguïté est, pour simplifier les choses, le caractère de ce
qui est susceptible de plusieurs interprétations. Simone de Beauvoir
rappelle qu'ici le sens n'est jamais fixé et doit sans cesse se conquérir[6].
Toutefois, si nous nous référons aux travaux de William Empron,
nous constatons que le dernier des sept types qu'il distingue n'est pas loin
de s'identifier à l'ambivalence selon Bleuler: c'est le cas où l'écrivain
propose une contradiction dans la forme et le fond ou, si l'on préfère,
lorsqu'il y a incohérence entre deux extrêmes[7]. Ainsi l'on trouve parfois
— mais à tort me semble-t-il — l'ambiguïté et la contradiction comme
synonymes de l'ambivalence. L'ambiguïté dans l'œuvre de Rimbaud a

---

[3] Dans *Rimbaud vivant*, n° 2 (Colloque de Royaumont, oct. 1973), p. 25.

[4] Dans *L'Homme moderne et son image de la nature*, Neuchâtel, A la
Baconnière, 1974, pp. 35-56.

[5] Paru en 1913. Petite Bibliothèque Payot, 1966, p. 41.

[6] S. de Beauvoir, *Pour une morale de l'ambiguïté*.

[7] W. Empron, *Seven Types of Ambiguity*, 1930, et P. Deschamps, « La
Notion d'ambiguïté », dans *Circé*, 1, 1969.

suscité quelques articles récents de la part d'Enid Rhodes Peschel notamment [8] et de Nathaniel Wing [9].

L'ambivalence se distingue aussi de la polyvalence et de la bivalence, dont voici deux exemples chez Rimbaud. Dans *Chant de guerre parisien* [39] l'expression

Thiers et Picard sont des Eros (v. 17)

est polyvalente: allusion au peu de charme des deux personnages, référence à la caricature qui les représentait sous les traits des Grâces, jeu phonique sur l'*ambiguïté* « des héros » et « des zéros ». Voici en revanche, un cas de bivalence; il s'agit du début des *Mains de Jeanne-Marie*:

Jeanne-Marie a des mains fortes,
Mains sombres que l'été tanna [49]

Il est clair que le mot *été* peut renvoyer à la généralité de n'importe quel été, mais qu'il peut désigner aussi cet été particulier de juin 1871 durant lequel les Communards furent parqués à Satory.

On peut conclure de ces remarques rapides que l'ambiguïté concerne l'interprétation des faits et non les faits eux-mêmes; que la polyvalence implique une multiplicité de sens possibles; enfin que la bivalence, si elle ne suppose que deux significations, ne les préjuge pas, toutefois, opposées.

Nous nous acheminons donc vers une définition assez étroite du terme que j'ai retenu. C'est celle que propose, à la suite de Bleuler, Juliette Favez-Boutonier, dans le seul travail consacré spécifiquement à cette notion en langue française, du moins à ma connaissance. Il s'agit d'une thèse de médecine soutenue en 1938, et rééditée en 1972 [10].

---

[8] « *Slave* and *superman* in the writings of Arthur Rimbaud », dans *Papers on Language and Literature*, Spring 1973; « Ambiguities in Rimbaud's Search for *Charity* », dans *The French Review*, mai 1974; *Flux and reflux: Ambivalence in the poems of Arthur Rimbaud*, Genève, Droz, 1977.

[9] « Metaphor and ambiguity in Rimbaud's *Mémoire* », dans *The Romanic Review*, oct. 1972.

[10] J. Boutonier, *La Notion d'ambivalence. Etude critique, valeur sémiologique*, 2e éd., Privat, 1972, 92 p. Un recueil collectif, l'*Ambivalence de la culture arabe* (éd. Anthropos, 1967), est intéressant pour expliquer certaines attirances de Rimbaud. Voir aussi: Enid H. Rhodes, « Under the spell of Africa [...] », dans *The French Review*, Special Issue, No. 2, Winter 1971.

La difficulté, non insurmontable, sera d'utiliser en critique littéraire une formule mise au point pour la psychologie et la psychiatrie. Elle s'applique à un état de conscience, comportant des dispositions affectives opposées (joie et tristesse, fierté et honte, etc.). Pour plus de commodité, je m'arrêterai à la définition suivante : « perception et/ou affirmation, dans un même moment, de deux sentiments ou notions de sens contraire ».

Dans un premier temps, je rechercherai la présence de l'ambivalence dans l'œuvre de Rimbaud ; puis je tenterai d'en démonter les mécanismes ; enfin j'en définirai le rôle dans la création littéraire.

* * *

Avant d'entrer dans le détail, on peut s'amuser à situer Rimbaud par rapport à quelques repères. Il ne possède pas, on s'en doute, le monopole de l'ambivalence. Pour éclairer, tout à la fois, le terme et son extension historique, j'opérerai un ou deux rapprochements.

Le premier est emprunté à Juliette Boutonier qui produit le témoignage de cette strophe baudelairienne :

> *Je suis la plaie et le couteau !*
> *Je suis le soufflet et la joue !*
> *Je suis les membres et la roue,*
> *Et la victime et le bourreau !* [11]

Une telle conscience simultanée de l'actif et du passif illustre admirablement la notion d'ambivalence. Un poème de Verlaine — ou, plutôt, l'épigraphe qui lui est imposée — conduit, plus subtilement, à des constatations identiques ; en effet, au poème des *Romances sans paroles* qui commence par ce quatrain... ambivalent

> *L'ombre des arbres dans la rivière embrumée*
> *Meurt comme de la fumée*
> *Tandis qu'en l'air, parmi les ramures réelles,*
> *Se plaignent les tourterelles* [12]

est accolée cette éclairante citation de Cyrano de Bergerac : « Le rossignol qui du haut d'une branche se regarde dedans, croit être tombé

---

[11] Baudelaire, *Les Fleurs du Mal*, « L'Heautontimoroumenos ».
[12] Verlaine, *Romances sans paroles*, Ariettes oubliées IX.

dans la rivière. Il est au sommet d'un chêne et toutefois il a peur de se noyer.» La perception conjointe du haut et du bas, du réel et de l'imaginaire, du sujet et de son reflet sont typiques de l'attitude qui nous intéresse et que notent les spécialistes:

> On peut avoir l'expérience de l'ambivalence par des phénomènes normaux, voisins de l'obsession [...] surtout le vertige [...] chez certaines personnes, ce vertige prend une forme un peu particulière, il ne se manifeste par exemple que si elles regardent de l'eau (un fleuve du haut d'un pont, la surface de l'eau dans un puits) [13].

J'en viens à me demander — mais c'est une parenthèse — si ce vertige ne pourrait être mis en rapport avec la notion de décadence, en ces dernières années du XIXe siècle. Le positif y est perçu à l'égal du négatif, la mort conjointement avec la vie, comme il apparaît dans ce passage emprunté à Maurice Barrès:

> Contemplant toutes ces femmes aux bras levés, aux poitrines nues, et leur éclat passionné, et leur cou si mollement rejeté en arrière, il [Philippe l'Arabe] ne put retenir les pleurs sans cause qui soulevaient sa poitrine d'enfant encore impubère. Et comme on s'empressait: «c'est, dit-il, que je pense qu'aucunes d'elles ne sera belle dans vingt ans»...
> Le hasard fit que dans l'orgie militaire qui suivit son départ, un incendie terrible se déclara, où presque toutes les femmes furent brûlées. Le César voulut qu'on leur rendît les honneurs; mais *il avait pleuré à l'idée qu'elles étaient périssables*, et il ne pleura point qu'elles périssent [14].

Peut-être trouverait-on dans cette interrogation matière à une fructueuse recherche. Mais, revenons à Rimbaud !

Le *je* qui parle, dans les *Vers nouveaux*, s'affirme capable, devant la simultanéité, de connaissance et de re-connaissance:

> *Boulevart sans mouvement ni commerce,*
> *Muet, tout drame et toute comédie,*
> *Réunion des scènes infinie,*
> *Je te connais et t'admire en silence* [82-83].

N'est-il pas admirable, en effet, que le lieu du *drame* et de la *comédie* soit perçu comme *muet* et sans *mouvement*? L'ambivalence est là, et nous presse de la reconnaître en tous les domaines: sensations et sentiments, espace et temps.

---

[13] J. Boutonier, *op. cit.*, p. 60.
[14] M. Barrès, *Le Jardin de Bérénice*.

Eprouvons quelques-unes de ces sensations contradictoires: le froid et le chaud, comme l'éprouvent simultanément, sur leur nez et leurs fesses, *Les Effarés* « blottis [...] / Au souffle du soupirail » [28]. Faut-il ajouter qu'une surdétermination souligne l'ambivalence? Le « souffle du soupirail », « chaud comme un sein », est *rouge*, tandis que

> [...] *leur lange blanc* [15] *tremblote*
> *Au vent d'hiver...*

Voici un autre exemple, plus complexe:

> *Glaciers, soleils d'argent, flots nacreux, cieux de braises!* [67]

S'il y a des convergences (entre les *glaciers* et *l'argent*, les *soleils* et les *cieux de braises*), il y a aussi nombre de contradictions simultanées: les *glaciers* côtoient et sont, peut-être, (car l'ambivalence est ici ambiguïté) les *soleils*; les *flots* vont avec les *cieux* (et voici, avant le temps, « la mer allée / Avec le soleil » [79]; mieux encore, la nuance *(flots nacreux)* est perçue en même temps que la couleur pure *(cieux de braises)*.

J'appelle encore à témoigner les deux premiers vers de *Ce qu'on dit au poète à propos de fleurs*:

> *Ainsi, toujours, vers l'azur noir*
> *Où tremble la mer des topazes* [...] [55]

Il semble donc doublement bleu ce noir, puisqu'il est azur et topaze! Elle est donc tremblante la vision de la mer confondue à l'azur! Et, plus encore, elle est ambivalente cette perception de *l'azur noir*, qui nous fait penser à l'affirmation d'*Une Saison en enfer*: « j'écartai du ciel l'azur, qui est du noir » [110]. Cette image a été suffisamment bien étudiée, il est inutile d'y revenir [16].

Dans un certain nombre de cas, les sentiments relèvent d'une attitude analogue: l'Empereur Napoléon III est « Féroce comme Zeus et doux comme un papa » [34]: la même représentation contradictoire apparaissait déjà, sous une forme plus élaborée [17], dans *Le Forgeron*:

> *Nous nous sentions si fort, nous voulions être doux!* [17]

---

[15] C'est moi qui souligne.

[16] Cf. H. Tuzet, *Le Cosmos et l'imagination*, Corti, 1965.

[17] Assurément, la volonté de douceur a dessein d'anéantir le sentiment de puissance; mais le fait d'être fort appelle simultanément et contradictoirement le désir d'être doux.

Quand on se propose d'examiner l'ambivalence de l'espace et du
temps, les exemples topiques échappent. On peut évoquer *Roman* [29]
et dire que le sujet y pense simultanément la campagne et la ville, à
l'instar de quelqu'un qui opposerait, à travers ces termes, individu et
société. Les travaux de notre séminaire parisien ont montré, parallèlement, l'ambivalence des « Villes », inconcevables sans tout ce qui les
entoure et qui n'est pas elles [18]. Il existerait, ainsi, une aptitude rimbaldienne à penser conjointement l'ici et l'ailleurs, tout comme à considérer
ensemble apparition et disparition:

> *L'enfant se sent, selon la lenteur des caresses,*
> *Sourde et mourir sans cesse un désir de pleurer* [66].

On objectera justement que, en raison de la différence des caresses,
il y a succession du *sourdre* et du *mourir*. Il n'empêche qu'il nous est
signifié une conjonction à quoi nous devons être attentif:

> *Sourde et mourir;*

tout se passe comme si la façon d'écrire privilégiait un rapport des mots
qui dépasse le rapport de sens. J'y reviendrai plus tard.

Le plus caractéristique est qu'il existe une structure ambivalente
spatio-temporelle commune à plusieurs poèmes. Ainsi *Sensation* [6]
juxtapose un présent sous-entendu à un avenir voulu, de la même façon
que l'immobilité tacite à l'affirmation du mouvement. « *Qu'est-ce pour
nous, mon cœur,...* » [71] suit la même trajectoire: le sujet se projette dans
un avenir hypothétique dans le même temps qu'il s'affirme présent:
« *allons ! allons !* » est négativement repris (« ce n'est rien ! ») par: « *j'y
suis ! j'y suis* [...] » Double opposition identique, encore, dans *La
Rivière de Cassis* [73], entre passé et futur, entre immobilité (le piéton
s'arrête pour regarder aux clairevoies) et mouvement (il ira plus coura-
geux). Même structure dans *Mémoire* IV et V: le canot, qui évoque le
mouvement, est désespérément immoile. Le fixe et le mouvant co-
existent de la même façon que dans *Bateau ivre* où l'esquif s'abandonne
à l'océan et aux *Maëlstroms* d'un monde inconnu tout en rêvant de la
flache d'Europe. Ambivalence que l'illumination *Mouvement* [152]
traduit avec exactitude: « repos et vertige ». On sait que le vertige est,
précisément, un état d'ambivalence [19]; les textes de Verlaine et de Cyrano

----

[18] Travaux de l'équipe 712 du C.N.R.S.
[19] J. Boutonier, *op. cit.*, p. 60.

de Bergerac, cités plus haut, le montrent. En somme, le sujet qui écrit l'œuvre signée Arthur Rimbaud est apte à prendre conscience simultanément des divers moments de la durée et des divers points de l'espace. C'est lui qui donnera une orientation au monde, non plus selon l'ordre des points cardinaux, mais selon une nouvelle raison:

Une porte claqua, — et sur la place du hameau, l'enfant tourna ses bras, compris des girouettes et des coqs des clochers de partout.

Ces bras étendus redonnent au monde neuf d'*Après le déluge* [121] un *sens* nouveau qui rend aux girouettes leur fonction.

Je terminerai par un poème typique de l'ambivalence: *Honte* [86]. Ces vers qui veulent dire la honte, proclament, en même temps et indissolublement, une immense fierté. Peut-être n'est-ce pas tout à fait surprenant de la part d'un poète qui vit pleinement l'ambivalence.

Chez Rimbaud se manifeste la conscience d'être et de n'être pas. Nous voici donc amenés à considérer ce que j'appelle volontiers le *cogito* rimbaldien. Au « *je pense donc je suis* » de Descartes [20], il oppose l'affirmation contenue dans la lettre à Izambard du 13 mai 1871 [21]: « C'est faux de dire: Je pense: on devrait dire on me pense » [249]. Ainsi l'être est *pensé*; ce qui, pour Rimbaud, revient à affirmer qu'il peut être subjectivement A, et objectivement non-A. Par ce biais, une des plus vieilles croyances de la psychologie et de la logique est renversée. En effet, ce qui est mis en cause c'est, d'une part, l'unité du moi (que Bergson n'avait pas encore divisé); d'autre part, le principe d'identité. La lettre à Demeny, du 15 mai 1871, le souligne:

Si les vieux imbéciles n'avaient pas trouvé du Moi que la signification fausse, nous n'aurions pas à balayer ces millions de squelettes qui, depuis un temps infini, ont accumulé les produits de leur intelligence borgnesse, en s'en clamant les auteurs ! [250]

Le célèbre *JE est un autre* me semble donc aller plus loin que l'interprétation fournie par Suzanne Bernard, par exemple: « constatation psychologique essez simple », écrit-elle, « Rimbaud s'aperçoit qu'il est [...] un être [...] métamorphosé par le mystérieux travail de l'inspi-

---

[20] Descartes, *Discours de la méthode*, IVe partie.

[21] Voir l'édition Schaeffer et Eigeldinger: Arthur Rimbaud, *Lettres du voyant*, Droz, 1975.

[22] Arthur Rimbaud, *Œuvres*, éd. Garnier, p. 546, n. 7.

ration » [22]. La métamorphose ou substitution, n'est pas cette partition de l'être dont je fournirai plus loin quelques exemples. Cela posé, les deux interprétations ne sont pas exclusives: il peut y avoir *submersion* du *je* par la montée d'eaux profondes dont les *Illuminations* proposeront l'image; mais il y a aussi *subversion* du *je* par un *non-je*, très explicitement senti comme tel. Ainsi le *cogito* rimbaldien relève de l'ambivalence.

Admirable est la conscience que prend Rimbaud des possibilités offertes par cette objectivation du moi et la volonté de cultiver les procédés qui, en maîtrisant la contradiction ou l'ambivalence, permettront de se faire voyant. Cet effort est dans un premier temps, de l'ordre de l'ascèse physique, encore qu'une telle expression paraisse étrange appliquée au dérèglement des sens. On peut, toutefois, parler d'ascétisme dans la mesure où il y a exercice spirituel raisonné, accompagné de mortification (au sens large) comme le veut la lettre à Demeny qui parle d'«un long, immense et raisonné *dérèglement* de *tous les sens*» [251] et celle à Izambard qui affirme que «les souffrances sont énormes» [249].

Ce qu'il faut cultiver, c'est l'aptitude à saisir les contraires: «Je fixais des vertiges», lit-on dans la *Saison en enfer* [106], ou bien :«je me vantais de posséder tous les paysages possibles» *(ibid.)*.

D'une façon inquiétante — «A moi. L'histoire d'une de mes folies» écrit Rimbaud [106] — l'écrivain (et l'homme aussi probablement) s'applique à ressentir cet être et ce n'être-pas. Dans *Une Saison en enfer* la présence-absence dont parle Albert Py à propos d'*Enfance* et de *Barbare*, [23] est manifeste:

«Il n'y a personne ici et il y a quelqu'un» [101] ou, plus explicite encore: «Je suis caché et je ne le suis pas» [102]. On ne peut plus clairement affirmer que *je* est simultanément *un autre* contradictoire.

De façon plus subtile, les *Illuminations* — notamment *Enfance II* que je viens d'évoquer — offrent des exemples de l'ambivalence:

C'est elle, la petite morte, derrière les rosiers. — La jeune maman trépassée descend le perron. — La calèche du cousin crie sur le sable. — Le petit frère (il est aux Indes !) là, devant le couchant, sur le pré d'œillets [122].

La petite morte est là; mieux, la trépassée se comporte en vivante, ce qui abolit le temps; le petit frère, qui est ailleurs, est ici, ce qui lie

[23] Arthur Rimbaud, *Illuminations*, Dıoz, 1967.

l'espace. Le dérèglement des sens — je pourrais en citer, et j'en citerai plus loin, d'autres exemples — est donc bien négation volontaire des catégories aristotéliciennes d'identité et de continuité.

Il y aurait lieu de s'en inquiéter si de telles aberrations n'étaient cultivées comme matière d'art. *Une Saison en enfer* ne laisse pas de doute à ce sujet : il y a eu conscience et culture de l'art et de l'ambivalence.

> « *Je vais dévoiler tous les mystères* [...]
> *Je suis maître en fantasmagories* [...]
> *J'ai tous les talents !* » [101].

Le dérèglement des sens, ou, si l'on veut, la pratique de l'ambivalence était physiquement sentie — entre mai 1871 et avril 1873 — comme productrice d'art.

Je reviens à *Enfance II* pour constater que l'expérience de la présence-absence demande à être poursuivie, mais qu'elle se heurte parfois à l'échec ou au vide : « Le curé aura emporté la clef de l'église. [...] Les palissades sont si hautes qu'on ne voit que les cimes bruissantes. D'ailleurs il n'y a rien à voir là-dedans » [123]. Cette dernière séquence est, au demeurant, totalement ambivalente puisqu'elle juxtapose un donné à voir et un impossible à voir : cela nous amènerait, mais en nous entraînant trop loin, à distinguer des ambivalences négatives (« l'impossible » pour reprendre un mot de Rimbaud) et d'autres positives qu'on pourrait considérer comme la résolution des contraires. Je reviendrai sur ces dernières.

Pour ne pas prolonger les exemples de cette culture de l'ambivalence, je cite, à titre de conclusion, ce passage de *Barbare* :

Le pavillon en viande saignante sur la soie des mers et des fleurs arctiques ; (elles n'existent pas) [144].

Ces fleurs sont et ne sont pas ; comme dans *Après le déluge*, elles regardent avant d'avoir même germé, tout comme les pierres précieuses resplendissent au plus enfoui de la terre.

On sait que Rimbaud a pensé que la drogue lui rendrait plus fréquente cette pensée normale [24] (c'est-à-dire anormale pour nous). Je dois y faire une brève allusion, mais je me dois aussi d'être prudent. Delahaye, soit vérité, soit piété, dans ses *Souvenirs familiers* [...] sous-

---

[24] Je brode sur une formule de Ch. Cros.

estime le rôle du haschisch [25]. Mais, dans la note qu'ils procurent à ce passage, Frédéric Eigeldinger et André Gendre apportent au moins trois témoignages du même Delahaye selon lesquels les paradis artificiels (opium, haschisch ou alcool) sont à prendre en compte dans la création rimbaldienne.

Il est certain que l'image des stupéfiants provoque un sentiment d'ambivalence. J. Boutonier cite le témoignage d'un médecin qui s'est volontairement soumis à une intoxication par la mescaline:

Je suis obligé de constater, en un état d'esprit qui devient toujours plus troublant, que l'expérience que j'ai jusqu'alors voulu accomplir et que j'ai conduite, échappe à présent à mon contrôle, qu'elle tend même à me forcer la main et à s'emparer de moi.

Les contradictions les plus diverses se disputent le champ de ma conscience. Entre les données de mon imagination et celles du réel se dessine mieux qu'un antagonisme, un conflit, comme si l'activité subjective cherchait à éliminer l'objective [26].

Une œuvre au moins — et l'œuvre seule m'importe — témoigne de cette distorsion. C'est *Matinée d'ivresse*. Précisément: expérience de hachisch a-t-on dit? Peu importe. L'essentiel est cette expérience ineffable:

Ô *mon* Bien! Ô *mon* Beau! Fanfare atroce où *je* [27] ne trébuche point! Chevalet féerique! Hourra pour l'œuvre inouïe et pour *le corps* merveilleux, pour la première fois! [...] Ô maintenant *nous* si digne de ces tortures! *rassemblons* fervemment cette promesse surhumaine faite à *notre corps et à notre âme* créés: cette promesse, cette *démence*! [130]

Ici c'est la résolution des contraires — démentielle peut-être, mais véridiquement possédée en une âme et un corps. Après le *je*, l'oubli du corps dans l'anonymat, pour parvenir à ce *nous*, singulier-pluriel (et non pluriel, comme le confirme la correction du manuscrit sur lequel un -*s* a été biffé pour faire de *digne* au singulier).

Il n'en est pas moins vrai que cette expérience de l'ambivalence, voulue et poursuivie, est dangereuse. *Une Saison en enfer* en témoigne:

---

[25] Cf. *Delahaye témoin de Rimbaud*, Neuchâtel, A la Baconnière, 1974, p. 141 et notes.

[26] Cité par J. Boutonier, *op. cit.*, p. 43.

[27] C'est moi qui souligne à partir de *je*.

Aucun des sophismes de la folie, — la folie qu'on enferme, — n'a été oublié par moi: je pourrais les redire tous, je tiens le système. Ma santé fut menacée. La terreur venait. Je tombais dans des sommeils de plusieurs jours, et, levé, je continuais les rêves les plus tristes. J'étais mûr pour le trépas [111].

Sophismes, folie, délire, catatonie: nous voici au point d'aborder un sujet controversé et qui découle inéluctablement de l'ambivalence, celui de la schizophrénie. Le problème a été maintes fois soulevé. Je ne retiendrai que trois analyses qui me semblent sérieuses et pertinentes et qui, de plus, sont relativement récentes.

Ernst Verbeek, dans un livre passé à peu près inaperçu dans les pays francophones [28] s'est penché sur la question. L'auteur établit une psychanalyse de Rimbaud. Le diagnostic est celui d'une schizophrénie dont l'essor se situe entre juillet 1870 et juillet 1873 et dont *Une Saison en enfer* est aboutissement et sommet d'une première phase. Le silence final correspondrait à une stabilisation de la maladie. Dans une thèse récente [29], Marc Quaghebeur examine et critique ce point de vue en rappelant un article, fort passionnant, du Dr Wolf intitulé « Arthur Rimbaud fut-il schizophrène? » [30]. Dans celui-ci la position du psychanalyste est tempérée par la perspicacité du critique. F. Wolf écrit: « si folie il y eut, ce fut une folie consciente, délibérée [...] elle resta donc lucide parce qu'elle avait été d'abord voulue [...] Rimbaud se voulut schizophrène plus qu'il ne le fut réellement. »

Marc Quaghebeur conclut, comme il faut je crois le faire, en dissociant ce qui fut de l'homme — et que nous ne pouvons plus saisir qu'à travers des témoignages fragmentaires, fragiles ou mythifiés — de ce qui appartient à l'œuvre. Parce que nous sommes devant un cas de simulation avouée (au moins pour une grande part de la production), nous ne pouvons inférer de l'œuvre à l'homme. Mais l'œuvre *reste*, avec tout ce qu'elle a de fascinant dans son étrangeté voulue.

Rimbaud s'abandonne à une forme de folie. Il en est conscient et en mesure les dangers. *Une Saison en enfer*, la « lettre du voyant » que je citais plus haut (les souffrances à endurer, les vertiges et les délires) le

---

[28] E. Verbeek, *Arthur Rimbaud, Une pathographie*, Amsterdam, 1957.

[29] M. Quaghebeur, *L'Œuvre nommée Arthur Rimbaud*, Université catholique de Louvain, 1975; cf. p. 112 sq.

[30] *Annales médico-psychologiques*, oct. 1956.

prouvent avec éclat. Il est conscient aussi des limites qu'impose une telle attitude:

« Tant pis pour le bois qui se trouve violon, et Nargue aux inconscients, qui ergotent sur ce qu'ils ignorent tout à fait ! » [249]

Cette ambivalence de l'être comporte un double risque. Le premier est de ne pas être compréhensible à soi-même; le second d'être hermétique aux autres.

Et pourtant, l'œuvre se poursuit. Elle se poursuit à travers la conscience d'une vie de l'ici et d'une autre de l'ailleurs: « Quelle vie ! La vraie vie est absente » [103]. Belle ambivalence que vient compléter ou compliquer un désir multiple:

« A chaque être, plusieurs *autres* vies me semblaient dues. Ce monsieur ne sait ce qu'il fait: il est un ange » [111].

Le mot *autres*, souligné, attire l'attention: il ne s'agit pas d'une succession, mais d'une simultanéité. Le bonheur est ici et maintenant dans la maîtrise éventuelle des contraires.

Mais il est bien clair qu'une telle possession ne peut être du domaine physique, sous peine de la folie (celle *qu'on enferme*); et pourtant, il est clair aussi que Rimbaud tient *le système* [111], qu'il sait « aujourd'hui saluer la beauté » [112] et que, dépassant les oppositions, il aspire à « *posséder la vérité dans une âme et un corps* » [117].

Ainsi, la *Saison en enfer* qui relate l'aventure d'une folie due à la division de soi, aspire à posséder la vérité dans un être double. Comment s'expliquent ce reniement et cette continuité ? Comment le même et l'autre peuvent-ils être semblables ?

Je risquerai une hypothèse, et, pour mieux la faire entendre, je reviendrai à la distinction chère à Rimbaud de l'objectif et du subjectif. Il procède, on le sait, à une telle dichotomie en matière de poésie et distingue par là le *fadasse*, — comme il dit [284] — du reste, qui doit être dévoué à la société. Appliquons, maintenant, la même division au principe de la voyance: Rimbaud peut considérer que l'ambivalence tient au sujet; d'où les délires, les vertiges, ou ce qu'on peut appeler la folie, qui échappe à tout contrôle. Mais, d'un autre côté, il peut considérer que l'ambivalence tient à l'objet, ce qu'on pourrait appeler relativité, qui se conçoit et se maîtrise.

Il n'y aurait donc pas reniement d'une ambivalence fondamentale, mais passage d'une expérience subjective que les *Vers nouveaux* illustrent et dont la *Saison* fait justice, à une vision objective qui implique une esthétique propre: « Je sais aujourd'hui saluer la beauté » [112].

Pour exprimer trop sommairement les choses, je dirai qu'on passe d'un vécu impossible à dire [31] à un exprimé impossible à vivre. De part et d'autre, la même impasse. Ici: « plus de mots »; là, « la vraie vie est absente ». Au moins peut-on, sans risquer physiquement la folie, parvenir à une maîtrise esthétique de l'ambivalence. On pourrait dire, à la limite, qu'une telle création littéraire est mimétique et cathartique; on pourrait peut-être aussi expliquer par là-même la surabondance du thème du théâtre, ambivalent par excellence.

Tout n'est pas aussi simple, pourtant, car la parole ou l'écriture — fondement de l'esthétique — est elle-même ambivalente: à la fois tabou et objet de désir. C'est très net dans certaines poésies et dans *Une Saison*. La peur transparaît dans des propos comme « Tes grandes visions étranglaient ta parole » [12], ou: « *Je ne sais plus parler* » [115]... « je voudrais me taire » [95]. Une puissance du non-dire est contrebalancée par la séduction du dire: « J'inventai la couleur des voyelles [...] J'écrivais [...], je notais [...]. Je fixais [...] » [106].

Que le résultat obtenu ne soit qu'une approximation, voilà qui est vraisemblable et propre à expliquer beaucoup de choses. La *Saison en enfer* ne dit-elle pas clairement que si un nouveau langage est entr'aperçu sa traduction est réservée ?

Allons plus loin encore, et admettons — quelque imparfaite qu'elle apparaisse au scripteur — l'écriture signée Rimbaud. Comment nier que, dans plusieurs *Illuminations* notamment, elle se situe dans l'ambivalence du vrai et du faux en se donnant explicitement pour fiction: les fleurs n'existent pas, un rayon anéantit la comédie, un souffle disperse les limites du foyer [32]. Ici l'écriture se souligne et se nie et cela est *absolument moderne* [116].

Si je voulais m'amuser, je parlerais même d'une double modernité puisque le procédé relevé est *actuel* pour nous et qu'il est moderne aussi par rapport au temps où Rimbaud produit. Je m'interroge sur les raisons de cette modernité et j'en trouve encore quelques-unes dans l'ambivalence. Celle-ci, je l'ai dit, implique le refus du principe d'identité. Mais,

---

[31] « Je notais l'inexprimable » [106] est senti a posteriori comme une tentative absurde.

[32] *Barbare*, [144]; *Les Ponts*, [133]; *Mystique*, [139].

si *je* peut être *non-je*, la durée garantie par la permanence de l'identité est elle-même en péril. Rimbaud apparaît comme celui qui tire de l'ambivalence les conséquences les plus indiscutablement neuves; son attitude suppose, en effet, une vision discontinue de l'espace et du temps.

Cette discontinuité est fondamentale dans la pensée de Rimbaud, mais elle n'est pas définitive. Elle est sentie d'une façon divergente que la mathématique enfantine me permettra d'exprimer. S'il existe un élément contradictoire, il n'est pas impossible d'imaginer un ensemble qui unisse les contradictions. Ainsi s'éclairerait une thématique par laquelle je terminerai cet exposé: celle de la séparation et celle de la réunion, ou — pour préciser — celle du seuil et celle du couple. L'ambivalence de ces termes n'est pas douteuse.

Le seuil — bien étudié par plusieurs critiques [33] — est ce qui sépare et ce qui réunit: c'est la lisière de la forêt et c'est la plage, mais c'est aussi la palissade à traverser du regard. De toute manière, le seuil ne prend son existence que par rapport à quelqu'un qui le franchit ou le refuse, en tout cas qui le reconnaît. La première hypothèse est sans grand problème; c'est le triomphe ou l'héroïsation: « à l'aurore, armés d'une ardente patience, nous entrerons aux splendides villes » [117]. La seconde hypothèse suppose que l'être est irrémédiablement voué à un manque: l'auberge est vide, le château est à vendre ou le curé a emporté la clef de l'église [34]. L'être se trouve donc pris entre deux espaces ou deux moments disjoints; dans les cas extrêmes, il se sent poussé d'un côté, repoussé de l'autre. Le seuil est alors le lieu d'une ambivalence non assumée: c'est l'angoisse. On retrouverait, dans le premier verset d'*Angoisse* des *Illuminations*, cette dialectique incomplète du désir et du refus: « ambitions continuellement écrasées », « fin aisée » appelée à réparer « les âges d'indigence » [143].

Mais c'est la troisième attitude, celle de la reconnaissance qui semble la plus curieuse et, si j'ose ce terme, la plus existentielle. Le seuil est ce par rapport à quoi l'on se situe, l'on prend sa distance et sa mesure. Relisons *Génie*: « Il a fait la maison ouverte », il « est le charme des lieux fuyants et le délice surhumain des stations » [154]. Cet *il* mystérieux est ouverture entre le mouvant et le fixe. Il est une manière de seuil qu'il faut connaître et mesurer en une intimité profonde: « Ô lui

[33] R. Little, J. Price, M. Eigeldinger.
[34] Cf. *Enfance II*, [123].

et nous !», « Son corps ! [...] Sa vue, [...] Son jour ! [...] Son pas !»
Mais la sagesse — ou la *fécondité* — est de ne le refuser ni l'accepter.
Il faut « le héler et le voir », « suivre ses vues », « et le renvoyer ». Ce
qu'il faut, c'est savoir se situer de façon à tenir à la fois ce qui est de part
et d'autre (ce qui est je et l'autre ?) à réaliser dans le couple la fusion des
contraires.

Il est probable que cette grâce (qu'on me passe le mot !) refusée à
l'homme, n'est accordée qu'à l'écriture. C'est à elle et à elle seule de dire
la somme de joie, le triomphe et l'unité, le mariage des contraires, la
royauté d'abord fragile. Relisons l'aventure admirable et éphémère
du couple qui marche vers le seuil : « *Royauté* » [129].

Le vrai triomphe est ailleurs. Il est dans ces cadences que vous
attendez et par quoi je termine :

> « *Ce Charme ! il prit âme et corps* » [88].
> « la vérité dans une âme et un corps » [117].

> « *Elle est retrouvée !*
> *Quoi ? l'éternité.*
> *C'est la mer mêlée*
> *Au soleil* » [110].

Alchimie définitive que ce mariage des contraires ! L'ambivalence nous
a permis d'en supposer la synthèse.

Je ne sais si j'ai montré, à travers ce rapide examen, que cette notion
était présence constante dans l'œuvre de Rimbaud. Elle est l'attitude
innée, puis voulue, qui lui fait admettre et désirer que *je* soit un *autre*.
Plus encore, lorsque le sujet risque de se perdre dans la dichotomie du
moi, l'écriture triomphe en disant la discontinuité des objets. Vision
moderne. L'espace et le temps classiques sont abolis. Vient la grande, la
dernière tentation : trouver le moyen de confronter les contraires.
« *C'est fait* » l'écriture étant présente. Elle seule peut marier l'eau et le
feu sous le signe de l'éternité ; elle seule peut nous dire le conte de ce
Prince et de ce Génie qui sont le même et l'autre et qui, ensemble,
s'anéantissent « dans la santé essentielle » [125]. Fulgurante abolition
de la vie, de la mort, de l'espace et du temps, le secret n'est-il pas dans
l'ultime ambivalence du mortel et de l'éternel ?

FRÉDÉRIC S. EIGELDINGER

FUTUR LYRIQUE ET FUTUR ÉPIQUE
dans les « Vers » de Rimbaud

En raison de ses formes morphologiques, à la longue lourdes et monotones, en raison de la concurrence des autres modalités et temps, en raison enfin de ses emplois grammaticaux et stylistiques limités, l'indicatif futur n'a rien a priori de très poétique. Cependant, à y voir de plus près, son emploi n'est pas rare, aussi bien dans le genre épique, où on l'attend le plus volontiers, que dans la poésie lyrique, sans que nécessairement l'avenir soit déterminé par des conditions temporelles précises [1]. Il y détermine des thèmes ou des situations particulières, ou inversement, thèmes et situations impliquent son emploi. Le futur se rencontre le plus souvent dans des textes à caractère rhétorique qui peuvent aller des poèmes baroques violents (Sponde [2], d'Aubigné) aux discours polémiques ou révolutionnaires.

Les grandes épopées visionnaires ou eschatologiques, de l'*Apocalypse* à *La Légende des siècles*, sont d'abord des récits; c'est dire qu'elles sont écrites au passé, parfois au présent. « Le futur est moins un temps de récit ou de description que de vision [3]. » Et rares sont les poèmes composés tout entiers au futur [4]. Car en plus des exigences du langage poétique, il y a souvent chez le poète des raisons psychologiques: le

---

[1] Contrairement à l'emploi le plus courant du futur, qui est accompagné de compléments circonstanciels exprimant « d'une manière absolue ou approximative la distance qui sépare le point de l'avenir où se situe le procès du présent pris comme repère » (Wagner et Pinchon, *Grammaire du français classique et moderne*, Hachette, 1962, p. 355).

[2] Voir en particulier les deuxième et douzième « Sonnets sur la mort », où les sonorités du futur scandent, comme les autres allitérations, la marche vers la mort.

[3] *Grammaire Larousse du français contemporain*, 1964, p. 351.

[4] Voir par exemple le seizième poème dans *Les Rayons et les Ombres*, « Matelots ! matelots ! vous déploierez les voiles... ».

passage du futur au présent permet d'actualiser l'avenir pour rendre plus prenant le discours. C'est d'Aubigné, par exemple, qui fait résonner la trompette du Jugement au futur, mais qui, aussitôt après, décrit la résurrection des corps au présent:

> *La terre ouvre son sein, du ventre des tombeaux*
> *Naissent des enterrés les visages nouveaux:*
> [...]
> *Comme un nageur venant du profond de son plonge,*
> *Tous sortent de la mort comme l'on sort d'un songe* [5].

Par contre, les prophéties au discours direct sont rythmées par le futur, en fin de poème, selon une chronologie schématique (passé — présent — avenir). C'est la « Bouche d'ombre » qui, après avoir brossé le tableau de la condition humaine (jusqu'au vers 690), termine ses révélations par l'annonce du triomphe du bien et de la lumière (vers 691-786):

> *Tout sera dit. Le mal expirera, les larmes*
> *Tariront; plus de fers, plus de deuils, plus d'alarmes;*
> *L'affreux gouffre inclément*
> *Cessera d'être sourd, et bégaiera: Qu'entends-je?*
> *Les douleurs finiront dans toute l'ombre: un ange*
> *Criera: Commencement !* [6]

Le plus souvent en poésie, le futur apparaît dans une forme quelconque de discours direct. Le locuteur s'adresse à un interlocuteur présent ou absent, désigné par une apostrophe ou simplement par un pronom personnel. Dans la poésie lyrique, où le « je » communique avec un « tu », le poète projette ses désirs présents dans un avenir *non défini*, en parlant ou en pensant à l'être aimé comme dans une lettre, le lecteur n'étant pour sa part qu'un complice, un confident ou simplement un témoin. L'être aimé peut être présent, mais tout se passe comme si le locuteur ignorait cette présence, plongé qu'il est dans ses rêves, et comme si la personne interpellée ne pouvait intervenir. C'est ce qu'on trouve par exemple dans *Remords posthume* ou *Le Revenant* de Baudelaire, ou dans les vers anacréontiques des Parnassiens:

---

[5] *Les Tragiques*, VI, « Jugement », vers 665-666, 675-676.

[6] V. Hugo. *Les Contemplations*, VI, 26, vers 781-786. On retrouve ce futur chez tous les visionnaires romantiques. Voir par exemple l'anthologie publiée par F. P. Bowman des textes d'Eliphas Lévi (P.U.F., 1969, en particulier, pp. 87 sqq.).

Près du ciel azuré
Qui nous menace,
Joyeux, je t'asseoirai
Sur le Parnasse.

Là, recueillant le fruit
De mon délire,
Ta voix sera le bruit
Que fait ma lyre [7].

Le futur garde le plus souvent dans ce cas sa modalité d'indicatif, bien qu'il soit en concurrence avec le conditionnel. Mais dès que l'apostrophe s'adresse à un ensemble de personnes ou à un singulier collectif, le futur prend une modalité particulière d'insistance: colère, ironie, anticipation... Il découle de ces constatations un *futur lyrique* et un *futur épique*, ce dernier en concurrence avec l'impératif. Parallèlement, ces deux emplois définissent deux sphères thématiques: au niveau individuel, rêves d'union (ou d'anéantissement), espoir (ou désespoir); au niveau collectif, désirs de vengeance, rêves de cités nouvelles (terrestres ou célestes).

Un bref parcours à travers la poésie parnassienne permet de mettre en évidence ces deux aspects du futur. Aux événements de 1848 répondent en contrepoint les rêves épiques des Parnassiens qui veulent instaurer une société idéale fondée sur les grands mythes de l'antiquité. D'autre part, quelles que soient leurs options (a)politiques, ces écrivains ne se sont pas cantonnés dans leurs visions païennes et ne sont pas restés insensibles aux misères de la France sous l'occupation et la Commune. En avril 1871, Rimbaud, s'intéressant aux nouveautés publiées par Lemerre, relève entre autres: « deux poèmes de Leconte de Lisle, *Le Sacre de Paris, Le Soir d'une bataille.* — De F. Coppée: *Lettre d'un Mobile breton.* — Mendès: *Colère d'un Franc-tireur.* — A. Theuriet: *L'Invasion.* — A. Lacaussade: *Vae victoribus.* — Des poèmes de Félix Franck, d'Emile Bergerat. — Un *Siège de Paris*, fort volume, de Claretie [8]. » Théodore de Banville publie en juin 1871 ses *Idylles prussiennes*:

---

[7] Th. de Banville, *Les Exilés*, « Apothéose », Lemerre, 1867, p. 194.

[8] Lettre à P. Demeny du 17 avril 1871. Rimbaud, *Œuvres complètes*, éd. par A. Adam, Gallimard, « Bibliothèque de la Pléiade », 1972, p. 247. Les poèmes de Bergerat sont soit *Les Cuirassiers de Reischoffen* (Lemerre, 1870), soit *Poèmes de la guerre* (Lemerre, 1871).

> *Certes il luira sur nos fronts,*
> *Ce grand jour de nos destinées*
> *Où nous vous ressusciterons,*
> *Saintes villes assassinées* [9].

Les événements entraîneront donc ces poètes au ton prophétique. Sur le plan des théories littéraires, ils ont été aussi engagés, après les querelles romantiques et à la suite de leur maître Gautier, à s'interroger sur la fonction de l'art. Partisans de l'art pour l'art et partisans de l'art pour le progrès s'opposent dans la finalité de leur travail. Ceux-ci suivent l'idéal saint-simonien : « Les artistes, les hommes à imagination ouvriront la marche [...]. Ils exalteront une telle entreprise [...]. » « L'âge d'or du genre humain n'est point derrière nous ; il est au-devant, il est dans la perfection de l'ordre social [10]. » Ceux-là écoutent Gautier ou Baudelaire : « Il n'y a de vraiment beau que ce qui ne peut servir à rien. » « La poésie, pour peu qu'on veuille descendre en soi-même, interroger son âme, rappeler ses souvenirs d'enthousiasme, n'a pas d'autre but qu'elle-même ; elle ne peut pas en avoir d'autre, et aucun poème ne sera si grand, si noble, si véritablement digne du nom de poème, que celui qui aura été écrit uniquement pour le plaisir d'écrire un poème [11]. » Qu'ils aspirent à un avenir social meilleur ou qu'ils partent en quête du Beau, les poètes sont tout tendus vers l'avenir. D'ailleurs, plus souvent qu'à la beauté formelle, les Parnassiens rêvent avec nostalgie à un passé idéalisé qu'ils voudraient ressusciter bientôt [12]. Tous veulent forcer les portes de l'avenir, et chacun à sa façon se fait Prométhée. Banville, sculpteur du Beau idéal, lutte avec l'ange pour atteindre à la perfection formelle :

> *J'irai jusques au ciel, dans les voûtes profondes,*
> *Dérober pour mes vers*
> *Le rythme qu'en dansant chantent en chœur les mondes*
> *Qui forment l'univers.*

---

[9] *Idylles prussiennes*, « Les Villes saintes », Lemerre, 1871, p. 14.

[10] Saint-Simon, *Textes choisis*, Editions sociales, 1951, p. 99.

[11] Gautier, « Préface » à *Mademoiselle de Maupin*; Baudelaire, *Notes Nouvelles sur Edgard Poe*.

[12] Je pense en particulier au *Kaïn* de Leconte de Lisle (poème tant admiré par Rimbaud) ou au *Dialogue d'Yama et d'Yamî* de Catulle Mendès, deux poèmes publiés dans des livraisons du *Parnasse contemporain*.

Je boirai le nectar de la force première,
  Et dans la main du dieu,
Impassible titan, chercheur de la lumière,
  J'irai voler le feu [13].

A quoi Victor Hugo fait écho, puisant ses forces de révolte dans le passé sombre pour accéder « aux portes visionnaires du ciel sacré » :

Donc, les lois de notre problème,
  Je les aurai;
J'irai vers elles, penseur blême,
  Mage effaré!
Pourquoi cacher ces lois profondes?
  Rien n'est muré.
Dans vos flammes et dans vos ondes
  Je passerai;
J'irai lire la grande bible;
  J'entrerai nu
Jusqu'au tabernacle terrible
  De l'inconnu [14].

A côté de cette poésie épique et prométhéenne fleurit le rêve amoureux. C'est l'*Odelette anacréontique* dans *Emaux et camées* de Gautier; les *Intimités* de François Coppée (« *Elle viendra ce soir...* »); dans *Les Exilés* de Banville, c'est *Le Cher Fantôme*; c'est surtout chez Verlaine la *Sérénade* des *Poèmes saturniens* ou les idylles de *La Bonne Chanson* :

N'est-ce pas? en dépit des sots et des méchants
Qui ne manqueront pas d'envier notre joie,
Nous serons fiers parfois et toujours indulgents.

N'est-ce pas? nous irons gais et lents, dans la voie
Modeste que nous montre en souriant l'Espoir [15].

Baudelaire propose une variante importante à ce thème du rêve amoureux au futur. Le futur, dans *Les Fleurs du Mal*, est associé très nettement à la mort, c'est-à-dire à la résurrection dans l'unité de l'être (le couple pour les amants; l'œuvre et l'idéal pour les artistes) :

Et ces sculpteurs damnés et marqués d'un affront,
Qui vont se martelant la poitrine et le front,

[13] « A Olympio », dans *Les Stalactites* [1846]; *Poésies complètes*, Poulet-Malassis et de Brosse, 1857, p. 260.
[14] *Les Contemplations*, « Ibo » [1856], VI, 2.
[15] Dix-septième poème de *La Bonne Chanson*.

N'ont qu'un espoir, étrange et sombre Capitole !
C'est que la Mort, plânant comme un soleil nouveau,
Fera s'épanouir les fleurs de leur cerveaux ! [16]

Les « Vers » de Rimbaud s'inscrivent parfaitement dans cette double thématique du futur, en raison même de l'influence des poètes cités sur le jeune créateur. Mais plus encore, l'étude du futur révèle clairement la courbe de l'expérience vécue et de la création littéraire chez Rimbaud : du jeune Parnassien (« Anch'io, messieurs du journal, je serai Parnassien ! ») au Voyant et du Voyant à l'homme résigné.

LE RÊVE AMOUREUX.

Le premier poème publié par Rimbaud, *Les Etrennes des orphelins* [17], est placé sous le signe du rêve compensateur. Comme il n'y a « plus de mère au logis » et que « le père est bien loin », les deux enfants corrigent d'eux-mêmes dans leur rêve une frustration présente et à venir en réactualisant le passé. Le signifié que propose Rimbaud du « rêve maternel » a quelque chose d'utérin : protection, confort et chaleur maternels (« C'est le tiède tapis, C'est le nid cotonneux... »). Mais au niveau du récit, ce rêve est d'abord celui des étrennes souhaitées par les enfants (« joujoux, Bonbons habillés d'or, étincelants bijoux »), puis celui de la présence des parents, associée à la « gaîté permise ». C'est enfin et surtout l'appel du mystère dont les grandes personnes savent s'entourer, mystère symbolisé par la grande armoire sans clés :

On regardait souvent sa porte brune et noire...
Sans clefs !... c'était étrange !... on rêvait bien des fois
Aux mystères dormant entre ses flancs de bois,
Et l'on croyait ouïr, au fond de la serrure
Béante, un bruit lointain, vague et joyeux murmure...

Tentation et interdit. Quand l'interdit est levé (les parents sont morts, « Il n'est point [...] de clefs prises »), le mystère demeure, mais il a perdu de son intérêt : le découragement l'emporte sur la tentation de savoir par soi-même [18]. Le poète s'apitoie : « Que le jour de l'an sera triste

---

[16] *Les Fleurs du Mal*, « La Mort des artistes ».

[17] *Revue pour tous*, 2 janvier 1870.

[18] Le même mystère est évoqué dans *Le Buffet* (*O.C.*, pp. 34-35). Ce savoir des choses demeurera toujours inviolé si l'on en croit ce que Rimbaud écrit dans *Après le Déluge* : « et la Reine, la Sorcière qui allume sa braise dans le pot de terre, ne voudra jamais nous raconter ce qu'elle sait et que nous ignorons. » (*O.C.*, p. 122.)

pour eux. » Les enfants ignorants murmurent : « Quand donc reviendra notre mère ? » Ces premiers futurs augurent déjà de l'avenir même du poète.

Indépendamment de son conventionnalisme larmoyant caractéristique de l'époque [19], ce poème n'est pas moins révélateur : Rimbaud ne se détache pas à cette date de la « poésie subjective » qu'il condamnera plus tard. Ici comme dans *Les Poètes de sept ans*, il déforme sa réalité présente par le rajeunissement ou croit prendre des distances à l'égard de lui-même en parlant d'« Orphelins de quatre ans ». Car à quinze ans, il se sent ou se veut lui-même dans la situation de ces deux innocents ; il évoque ce qui lui manque par personnes interposées. C'est la raison pour laquelle le futur est associé dans d'autres poèmes au rêve compensateur d'amour, au désir de combler un manque dont il est innocent ou injustement victime : il aspire d'abord à une jouissance physique de la vie (rêve de la Mère-Nature), puis à une sensualité amoureuse partagée (rêve d'union).

Sensation est un exemple phare de ces rêves au futur où la Mère-Nature compense l'absence de la mère et se substitue en même temps à la Femme. Il en résulte un éloignement des contingences sociales (« loin, bien loin, comme un bohémien ») et un bonheur sensationniste pour reprendre les mots d'Ernest Delahaye [20]. Tous les verbes de ce poème (au total 7) sont au futur, un futur volontaire qui traduit la profonde aspiration de l'adolescent. A la part active du « je » représentée par les deux « j'irai » (vers 1 et 7) s'opposent les sensations passives (vers 3, *j'en sentirai*, vers 4, *je laisserai le vent baigner...*) et la négation de l'activité cérébrale (vers 5, *Je ne parlerai pas, je ne penserai rien*). Ces verbes traduisent l'état de réceptivité du poète en même temps que son désir de fusion : « Mais l'amour infini me montera dans l'âme. »

On sait ce que *Soleil et chair* a de conventionnel dans l'inspiration et la thématique ; ce poème est un complément ou une réponse à *L'Exil des dieux* de Banville à la façon du *Rolla* de Musset. Rimbaud y rêve de ressusciter un passé païen où « L'Homme suçait, heureux, [la]

---

[19] Ce thème des orphelins, des mendiants, des pauvres se retrouve avec plus ou moins de réussite chez Gautier, Hugo, Baudelaire, Banville, Coppée... C'est dans cette même veine que Rimbaud écrira *Les Effarés*.

[20] Ernest Delahaye dans son premier livre sur Rimbaud (1905). Voir F. Eigeldinger et A. Gendre, *Delahaye témoin de Rimbaud*, Neuchâtel, La Baconnière, 1974.

mamelle bénie » de Cybèle. Ce credo à Vénus (« Credo in unam ») s'inscrit déjà dans la ligne de la révolte antireligieuse de l'adolescent (« la route est amère Depuis que l'autre Dieu nous attelle à sa croix »), mais il nous intéresse d'abord par cette nouvelle apparition de la Mère-Nature, représentée ici par Vénus [21]. Après avoir évoqué sa nostalgie du règne terrestre des dieux (I) et affirmé son credo (II), le poète en appelle à l'universel amour (III). « Fatigué de briser des idoles » et « libre de tous ses Dieux, », l'Homme va renaître à la « Rédemption sainte » de Vénus. En quinze vers (66-80), on trouve dix verbes au futur, et ce sont tous des verbes d'action: les cinq premiers affirment la découverte de cet âge d'or par l'Homme *(ressuscitera, scrutera, montera, montera, brûlera)*; les trois suivants évoquent la renaissance de Vénus *(verras, viendras, surgiras)*. De ces deux résurrections naît l'amour:

> *Le Monde vibrera comme une immense lyre*
> *Dans le frémissement d'un immense baiser !*
> — *Le Monde a soif d'amour : tu viendras l'apaiser.*

La troisième partie du poème s'achève ici dans la version du Recueil Demeny. Par contre, dans la version antérieure, celle envoyée à Banville, Rimbaud a copié 36 vers supplémentaires d'inspiration très hugolienne, comme l'ont remarqué J. Gengoux et S. Bernard, par la volonté prométhéenne de forcer les mystères de l'insondable. On a dit que ces vers contenaient quelque incohérence: « après avoir maudit la raison, Rimbaud semble l'exalter en déclarant: *Les mystères sont morts* » (S. Bernard). C'est ignorer le jeu stylistique de l'alternance du présent et du futur dans ces vers, alternance qui permet de nous situer simultanément sur deux plans, celui du rêve et celui du vécu. Couronné d'amour, l'Homme veut aller plus loin encore par la Pensée qui doit répondre aux éternelles questions (« Elle saura Pourquoi ! »). Ces questions sont naturellement posées au présent (vers 89-103), parce qu'elles sont de tout temps et que leur contenu est atemporel. La dernière interrogation (rhétorique) fait transparaître quelque croyance de réincarnation, puisque la Mère-Nature « ressuscitera » l'Homme. Mais le doute naît alors même que le poète s'interroge sur la destinée humaine; il nous fait glisser de l'atemporalité à la « réalité rugueuse à étreindre ».

---

[21] Le règne de Vénus rappelle celui du Grand Pan selon Hugo.

Nous ne pouvons savoir ! [...]
Notre pâle raison nous cache l'infini !
[...]
— *Et l'horizon s'enfuit d'une fuite éternelle !...*

La chute est d'autant plus brutale que le poète, par un revirement sur lui-même, au milieu de son credo au futur, est replongé dans *son* présent. Par l'imagination, il avait brisé le joug de son milieu; l'orphelin, recueilli par la Terre, s'était vu ressusciter au monde idéal de l'Amour. Et le voilà à nouveau replongé dans sa vie, découragé par ce qui l'entoure. Mais la troisième partie du poème n'est pas achevée, elle se prolonge même dans la quatrième: une volte-face du poète suffit pour que les visions rêvées tout à l'heure au futur le soient maintenant au présent. Alors « les mystères sont morts Devant l'Homme » (vers 111-164). L'indicatif futur dans ce poème sert donc à rompre avec le présent vécu, en même temps qu'il permet la transition avec le présent rêvé.

Dans ce grand rêve sensuel, il faut faire la part du vécu et du littéraire. Il n'empêche que Rimbaud, même s'il se montre bon élève, traduit une aspiration juvénile et tout empreinte de sens plastique, quand il évoque par exemple Cypris qui,

[...] *cambrant les rondeurs splendides de ses reins,*
Etale fièrement l'or de ses larges seins
Et son ventre neigeux brodé de mousse noire.

Ces vers très parnassiens font transparaître une vision malgré tout rimbaldienne de la femme-chair, qui devrait être courtisane. Vénus est « Chair, Marbre, Fleur » (« O splendeur de la chair ! ô splendeur idéale ! »), elle fait antithèse avec la « large croupe » de la « Vénus anadyomène » qui est en quelque sorte une chair-femme. Entre cette chair-femme qu'il condamnera dans *Les Sœurs de charité* (« ô Femme, monceau d'entrailles » et la femme-chair dont il rêve, il n'y a pas à ce moment pour Rimbaud d'être intermédiaire ! La « Vénus anadyomène » « aux déficits assez mal ravaudés » contraste absolument avec la « blanche Ophélia », victime de son rêve fou. Il s'écoulera quelque temps encore avant que le poète lui-même ne s'avise de ses propres folies et ne commence à déchanter. Deux poèmes nous intéressent dans le prolongement de *Soleil et chair*, c'est-à-dire dans le vécu ou le rêvé du jeune amoureux. Dans *Les Réparties de Nina* et *Rêvé pour l'hiver*, le futur permet au poète de dialoguer avec son rêve ou d'incarner la femme-chair. Dans le premier, Rimbaud semble converser réellement avec « Elle », puisqu'il lui parle au conditionnel : il garde la distance entre la réalité et le rêve, conscient de la volonté d'autrui. Puis, comme s'il oubliait les exigences de celle à qui il s'adresse, envahi par la réalité de l'imaginaire, il enchaîne ses désirs au futur. Comme dans *Sensation*, mais ici en partageant le bonheur avec la femme aimée, Rimbaud imagine un voyage à travers une riche nature où « On sent dans les choses ouvertes Frémir des chairs ». Les soixante premiers vers sont écrits au conditionnel (sur 26 verbes conjugués, 12 au conditionnel et 14 à un autre temps, dont 9 en subordonnée). A partir du vers 61, le rêve devient réalité future (sur 22 verbes conjugués, 10 au futur et 12 au présent en subordonnée). Ce poème peut être considéré comme un jeu antiparnassien. « Elle » répond aux rêves et aux déclarations du poète par un « *Et mon bureau !* ». La nature d'abord idéalisée prend toujours plus des allures de campagne (« Quelle chierie »). Ces remarques ne condamnent pas nécessairement la sincérité des premières expériences poétiques de Rimbaud, car c'est une constante de sa poétique que de brûler ce qu'il a aimé ou de rompre par un effet de surprise l'envolée lyrique [22]. Il est toujours difficile de déterminer si la pointe finale anéantit réellement ce qui précède, de marquer la frontière entre la sincérité et l'ironie. Tout se passe comme si Rimbaud constamment se laissait emporter dans un premier mouvement par son enthousiasme, puis se reprenait en se moquant de lui-même.

Rêvé pour l'hiver, dédié à « Elle », évoque aussi un voyage à deux. La nature n'est plus présente que par les grimaces des ombres du soir qu'on voit à travers les vitres du train. Mais le poète, dans son rêve, ne s'intéresse qu'à d'aimables polissonneries dans un confort qui rappelle l'évocation du rêve maternel : *un petit wagon rose, des coussins bleus, un nid de baisers, chaque coin mœlleux.* Et s'il emploie le futur, c'est pour compenser la solitude présente de ses errances à travers les campagnes belges.

---

[22] C'est le cas, par exemple, dans *Le Dormeur du val*. Une première lecture du texte conduit à une vision tragique due à la surprise réservée par le dernier vers et au contraste entre la Nature riante et le soldat mort. Mais n'y a-t-il pas quelque ironie acerbe dans le vers : « Nature, berce-le chaudement : il a froid » ? Quelle mère, cette Nature !... Si l'on refuse cette idée, on peut évidemment s'en tenir à l'interprétation que le soldat mort retourne à « l'Océan profond des germes [...] d'où la Mère-Nature Le ressuscitera » *(Soleil et chair).*

A lire ces deux derniers poèmes, comme d'autres de la même époque (*Première Soirée, A la musique, Roman*), on remarque que Rimbaud se réveille toujours seul de ses rêves (« atroces solitudes »), parce que désirant une femme non agissante, son amour n'est jamais partagé préalablement. De sorte que, quelle que soit l'expérience amoureuse de l'adolescent, on en vient très vite à dégager une conception négative de la femme qui n'incarne jamais son idéal de passivité. Jusqu'ici, il était difficile de tracer une ligne entre le vécu et le littéraire, mais à partir des textes suivants où transparaît la colère (comme souvent dans sa correspondance), Rimbaud s'affirme plus personnel. Il commence par se moquer de la conception romantique de la Mère-Nature. Dans *Le Dormeur du val*, la Nature doit bercer sur son sein, pour le réchauffer, un enfant mort. Avec amertume, il déclare dans *Les Premières Communions* que « La pierre sent toujours la terre maternelle ». Plus tard, profondément irrité, il déclare à Delahaye, en parodiant Musset ou Rousseau : « O Nature ! ô ma mère ! Quelle chierie ! et quels monstres d'innocince, ces paysans [23]. » Il regrette la ville et accuse sa mère de l'avoir mis dans un triste trou. Et en même temps qu'il demande aux Corbeaux de chasser le « paysan matois », il se retrouve lui-même paysan ! [24] Après la révolte contre la Mère-Nature vient la condamnation de son rêve amoureux. Mais la déception est amère à en juger par *Les Déserts de l'amour* : « Elle n'est pas revenue, et ne reviendra jamais, l'Adorable qui s'était rendue chez moi, — ce que je n'aurais jamais présumé. Vrai, cette fois, j'ai pleuré plus que tous les enfants du monde. » De son rêve amoureux il retombe à la réalité de la chair-femme. La relation amoureuse prend un aspect sado-masochiste comme dans *Les Poètes de sept ans* (vers 37-43). Le ton change dans *Mes Petites Amoureuses*: le besoin de vengeance s'y traduit par de nombreux impératifs. Puis il passe de la haine à l'auto-accusation :

> *Piétinez mes vieilles terrines*
> *De sentiment;*
> [...]
> *Je voudrais vous casser les hanches*
> *D'avoir aimé !*

[23] Lettre à Ernest Delahaye, mai 1873 ; *O.C.*, p. 267.
[24] *La Rivière de cassis*, *O.C.*, pp. 72-73 ; *Une Saison en enfer*, « Adieu », *O.C.*, p. 116.

Le poème s'achève d'ailleurs par un futur vengeur: « Vous crèverez en Dieu. » Après avoir ravalé ses « rêves avec soin », il se tourne vers des femmes agissantes. C'est ainsi qu'il est attiré par la servante du « Cabaret-Vert », qui contrairement à ses petites amoureuses, n'est pas bégueule: elle fait la première les avances (« — Celle-là, ce n'est pas un baiser qui l'épeure! —»). Cette femme-là est en quelque sorte une première image de la Femme que Rimbaud célébrera plus tard comme la « rouge courtisane aux seins gros de batailles »: Paris, Jeanne-Marie, ou celle pour qui et avec qui « l'amour est à réinventer ».

LE RÊVE SOCIAL.

Dans le credo de *Soleil et chair*, on a déjà rencontré un futur à nuance modale par la volonté du poète d'instaurer un monde nouveau. Les vers d'inspiration socialiste sont eux aussi caractérisés par un futur plus ou moins modal, avec ou sans contexte circonstanciel grammatical, mais dont les nuances sont diverses.

a) *L'ironie.* Souvent le locuteur, prenant la parole à la place de son adversaire, ou imaginant ce qu'il adviendra sous le règne de l'oppresseur, recourt au futur dans un contexte ironique, railleur ou même fielleux: voilà ce qui arrivera si..., vous verrez que... « Tout est possible ! On rajeunira les supplices, on traquera de nouveau les hommes, on égorgera les libertés; on radoubera les pontons et l'on chargera les vaisseaux pour Cayenne ! — Il faudra d'abord enlever aux citoyens leurs armes et à Belleville son drapeau. » Ces lignes sont de Jules Vallès [25]. C'est dans ce même esprit que le Forgeron s'adresse à Louis XVI pour refuser l'avenir qu'on réserve au peuple:

> *Et nous dirons : C'est bien : les pauvres à genoux !*
> *Nous dorerons ton Louvre en donnant nos gros sous !*
> *Et tu te soûleras, tu feras belle fête.*
> *— Et ces Messieurs riront, les reins sur notre tête !*

On pourrait remplacer ici le futur par le conditionnel: c'était d'ailleurs à ce mode que Rimbaud avait écrit la première version de ce poème (manuscrit Izambard). Comment expliquer la modification, sinon par une nuance modale qui hésite entre l'indignation (conditionnel) et la colère du révolté (futur).

---

[25] *Le Cri du Peuple*, 22 février 1871, dans *Œuvres complètes*, Les Editeurs français réunis, 1970, pp. 33-34.

b) *Le credo*. En fait, rares sont les textes décrivant l'avenir social sans qu'interviennent l'enthousiasme, la passion du locuteur. La chaleur de ses propos contient sa volonté farouche de voir s'établir ici-bas la Nouvelle Jérusalem. Mais dans ce cas encore le futur rivalise avec le présent. Avant et pendant la Commune, par exemple, on chante la « lutte finale » au présent ou à l'impératif [26]. Mais après l'écrasement des Fédérés. le chant devient mélancolique ou la rage envahit les cœurs [27].

Au credo à Vénus répond le credo du Forgeron (vers 132-154). Le discours est au futur. Le « maraud de forge » dit sa foi en l'avenir: « Nous sommes Pour les grands temps nouveaux où l'on voudra savoir. » Les termes sont assez semblables à ceux qu'on lit dans *Soleil et chair*: *l'Homme forgera, il domptera, montera, nous saurons*. Mais très vite la foi tourne au rêve (« ce grand rêve émouvant »), quand le Forgeron s'imagine vivre dans ces temps futurs qui ne seront que pour sa postérité. C'est donc un rêve au conditionnel: *on travaillerait, on se sentirait, personne ne nous ferait, on saurait...* Se ressaisissant, le Forgeron en revient à la bataille présente: le peuple doit se sacrifier pour faire régner la justice. « — Oh ! quand nous serons morts, nous les [les sales pavés] aurons lavés. » On voit combien Rimbaud joue sur ces modes et ces temps avec volonté.

c) *La vengeance*. La Commune écrasée, le poète partage l'amertume des vaincus; il avait lui-même tant espéré; il avait mis toute sa foi dans ce grand chambardement moral et social. Le désespoir confine très vite à la vengeance dans *Chant de guerre parisien*:

> *Et les Ruraux qui se prélassent*
> *Dans de longs accroupissements,*
> *Entendront des rameaux qui cassent*
> *Parmi les rouges froissements !*

Mais c'est surtout *L'Orgie parisienne* qui en appelle à la renaissance de la Commune, au relèvement des déluges, comme il dira dans les *Illu-*

---

[26] En fait, *L'Internationale*, dans les *Œuvres complètes* d'Eugène Pottier, est datée de juin 1871, donc après l'écrasement de la Commune (Maspero, 1966, p. 101). Il faut relever que les chants révolutionnaires sont le plus souvent à l'impératif, mais noter au passage le « Ah ! ça ira... »

[27] *Le Temps des cerises* fut écrit en 1866, mais Clément le réactualisa en le dédiant le 28 mai 1871 « à la vaillante citoyenne Louise ». Ce chant peut illustrer la nostalgie des vaincus: « Quand vous en serez au temps des cerises... »

minations [28]. Rimbaud oppose nettement le mode impératif à l'adresse des « lâches » (ou Ruraux) au futur vengeur de l'Avenir. *Dégorgez, Allez, Cachez, Soyez fous, Volez, Mangez, Buvez, Avalez, Ecoutez* (deux fois), *Fonctionnez, Ouvrez, Trempez, Soyez fous*: tous ces impératifs sont chargés d'un contexte et d'un sémantisme négatifs; ils équivalent à « Faites seulement..., mais... » On attend donc le cri de vengeance, le sursaut de la « Cité sainte », de la « putain Paris » dont les lâches comme des vampires boivent le sang, comme des vers rongent les restes. *Elle se secouera de vous, vous serez bas*, elle *tordra ses poings ardus, les vers livides Ne gêneront pas plus son souffle de Progrès...* Et le Poète participera au sacre de sa gloire.

Dans ce chapitre, il convient également d'étudier le credo du poète dans sa lettre du 15 mai 1871 à Paul Demeny [29]. Rimbaud y oppose le présent au futur (et au conditionnel). Les lignes 86-114 sont écrites au présent, parce qu'elles font allusion à une expérience que Rimbaud lui-même est en train de vivre, celle de l'encrapulement. Même s'il parle dans cette lettre à la troisième personne (« Le Poète se fait *voyant* »), il parle de sa propre expérience, puisque dans la lettre à Izambard du 13 mai il dit: « je me suis reconnu poète », « je m'encrapule le plus possible ». Il n'en est donc qu'à la première phase de la voyance. L'emploi du conditionnel et du futur dans la suite (lignes 114-117) répond à celui du *Forgeron*: l'entreprise est si nouvelle qu'elle est l'affaire d'une autre génération peut-être, c'est un travail collectif qui peut conduire à la folie ou à la mort. « Qu'il crève dans son bondissement par les choses inouïes et innommables: viendront d'autres horribles travailleurs; ils

---

[28] On connaît la théorie séduisante de Marcel A. Ruff (*Rimbaud*, Hatier, 1968, pp. 57-60), selon laquelle *L'Orgie parisienne* serait antérieure à la défaite des Fédérés (voir aussi sa récente édition des *Poésies*, Nizet, 1978, pp. 97-100). Je ne peux cependant souscrire complètement à cette idée: la similitude des dernières strophes du poème avec certaines propositions de la Lettre du Voyant (15 mai) est trop frappante: *ton souffle de Progrès | sa marche au Progrès; Amasse les strideurs au cœur du clairon sourd | Si le cuivre s'éveille clairon...; Ses strophes bondiront | Qu'il crève dans son bondissement...*, etc. Je ne peux pas penser que les vers de *L'Orgie parisienne* préfigurent la Lettre du Voyant et je continue à croire que ces vers se situent entre le 15 mai et la fin du mois. Voir également l'article de R. Chambers, *Réflexions sur l'inspiration communarde de Rimbaud*, dans *Arthur Rimbaud 2*, Minard, 1973, pp. 63-80.

[29] Arthur Rimbaud, *Lettres du voyant*, éditées et commentées par G. Schaeffer, précédées de *La Voyance avant Rimbaud* par M. Eigeldinger, Genève-Paris, Droz-Minard, 1975.

commenceront par les horizons où l'autre s'est affaissé ! [30] » Si jusqu'ici
le futur garde toute sa valeur d'indicatif, il devient modal quand Rimbaud
affirme à la ligne 210: « Ces poètes seront ! » Il exprime sa foi et sa
volonté.

Il me semble que deux poèmes, à peine postérieurs à la lettre dite
du Voyant, illustrent également ce futur. D'abord le « Je dirai quelque
jour » du sonnet des *Voyelles*; puis le « Quelqu'un dira le grand Amour »
dans *Ce qu'on dit au poète à propos de fleurs*. Dans ces derniers vers,
Rimbaud ironise sur la poésie des lys, « ces clystères d'extases ». Il
recourt d'abord au conditionnel pour imaginer ce que deviendra la
poésie de Banville, si ce dernier ne cherche pas un peu à connaître sa
botanique ! Puis à l'impératif pour l'encourager dans la nouvelle voie;
enfin au futur:

> *Ta Rime sourdra, rose ou blanche,*
> *Comme un rayon de sodium,*
> *Comme un caoutchouc qui s'épanche !*

Ce futur du voyant traduit l'immense confiance, la foi totale que
Rimbaud place en l'avenir. Mais l'échec de la Commune se répercutera
dans l'échec du poète.

« LE PAUVRE SONGE. »

Après les colères, les révoltes, les drames, c'est le temps de la résignation. Les bourgeois et les fonctionnaires ne rêvent qu'à perpétuer
leur petit monde (voir *Les Assis*); l'Eglise et le Pouvoir usent les « jeu-
nesses » par le Devoir (voir *Les Premières Communions*). Rimbaud,
dès qu'il s'attache à critiquer la machine de l'Etat et de l'Eglise, montre
déjà combien ses révoltes à Charleville sont solitaires: il reconnaît à
l'avance ceux qui vont le contraindre et il en fait la matière de certains
de ses poèmes (« vous suez, pris dans un atroce entonnoir »).

---

[30] Lignes 114-117. Vallès écrit dans *Le Cri du Peuple*, le 19 mars 1871:
« Silence?... Nous parlerons jusqu'à la fin. Mais si nous succombons à la
tâche, le péril sera encore debout et notre espérance toujours vivante ! Vous
ne ferez pas taire le vent, et vous n'aveuglerez pas notre étoile. » (*O.C.*, p. 97.)

Qu'il soit antérieur ou postérieur au *Bateau ivre*, le poème *Les Corbeaux* [31] signifie bien la « défaite sans avenir » et l'appel à la résignation. Plus encore que résigné, le poète semble prostré malgré ses « sursauts stomachiques »: « Comment agir, ô cœur volé ? » Les deux dernières strophes du *Bateau ivre* en appellent à la « flache Noire et froide ». Ainsi les « derniers Vers » (ou « Vers nouveaux ») révèlent une alternance de rêves et de désillusions. « *Qu'est-ce pour nous mon cœur...* [32] » résume l'ambition du Voyant en même temps que le poète se sent attaché à « la vieille terre »: « Ce n'est rien ! j'y suis ! j'y suis toujours. » Il désire vivre ce qu'il n'a pas vécu (« Ah ! Que le temps vienne Où les cœurs s'éprennent ») ou aspire à un anéantissement (« Mourir aux fleuves barbares »), mais toujours transparaît la conscience de l'échec et de l'interdit qui le paralyse à l'avance. Seule résolution possible de ce conflit : la passivité.

> *Mais ! je n'aurai plus d'envie,*
> *Il s'est chargé de ma vie.*

[31] *Les Corbeaux* ont été publiés en septembre 1872, à l'insu de Rimbaud. Bouillane de Lacoste estime que ce poème date de 1871 en raison de la régularité de la versification.

[32] Dans son édition des *Poésies* de Rimbaud, M. A. Ruff pense que ce poème est contemporain ou presque de l'écrasement de la Commune (fin mai 1871). Son idée s'appuie essentiellement sur une interprétation du poème, dont « les deux dernières strophes sont un appel à poursuivre la lutte, au risque d'être *écrasé* » (*op. cit.*, p. 122). Je pense, à ce niveau, que M. Ruff oublie l'importance du mot *malheur* (vers 23) qui ne contribue pas, me semble-t-il, à faire du dernier vers « un cri d'espérance ». D'autre part, que dire du témoignage de la versification ? Non seulement le poème est écrit en rimes masculines (sauf vers 14-15 et 21-23, à cause du mot *frère*, deux fois à la rime), mais encore, ce que Rimbaud n'a jamais fait à cette époque, il mêle irrégulièrement les quatrains à rimes croisées (str. 1, 3, 5 et 6) et à rimes embrassées (str. 2 et 4). Il y a bien un poème de 1871 dont la versification est nouvelle chez Rimbaud, c'est *Voyelles* où les deux quatrains sont composés de rimes féminines, (-elles / -tentes), alors que les tercets sont réguliers. On n'est pas non plus fixé sur la date de ce sonnet (été-automne ?). Rimbaud semble être ici le disciple de Verlaine, dont il admirait les « fortes licences ». Mais Verlaine, avant les *Romances sans paroles*, n'a fait que de timides essais dans les *Poèmes saturniens* (« Never more », « Eaux-fortes, Croquis parisien »), puis dans les *Fêtes galantes* (« Mandoline », « L'Amour par terre », « En sourdine »). Il revient à une poésie plus « sage » dans *La Bonne Chanson*. Mais toujours il a conservé à ses expériences une grande régularité, soit dans l'alternance des strophes masculines et féminines, soit dans l'unité des strophes masculines (ou féminines) dans tout le poème. Les vers insérés dans la Lettre du Voyant sont encore d'une belle fidélité à la versification « classique » et c'est surtout en 1872 que Rimbaud va faire éclater la prosodie. Il faut bien que le poète ait commencé une fois, mais

Ces alternances sont illustrées en particulier par le thème des faims et des soifs[33] toujours inassouvies (« Et la soif malsaine Obscurcit mes veines ») et toujours fatales (« Mes faims, [...] C'est le malheur ») :

> *A toi, Nature, je me rends;*
> *Et ma faim et toute ma soif.*

Le futur dans les « derniers Vers » reprend sa valeur d'indicatif. Il y traduit le rêve impossible, mais s'efface progressivement devant l'impératif, plus précis pour traduire l'impatience[34]. L'avenir, c'est d'abord l'attente, ces « Fêtes de la patience », colorées d'images d'un passé qui lui est désormais interdit et de figures d'un avenir mystérieux. *Le Pauvre Songe* illustre ce rêve désespéré. Dans un premier temps, Rimbaud pense avec nostalgie à la sérénité perdue que sa patience devrait lui faire retrouver :

> *Peut-être un Soir m'attend*
> *Où je boirai tranquille*
> *En quelque vieille Ville,*
> *Et mourrai plus content :*
> *Puisque je suis patient !*
>
> *Si mon mal se résigne,*
> *Si j'ai jamais quelque or,*
> *Choisirai-je le Nord*
> *Ou le Pays des Vignes ?...*

je me refuse à croire que « *Qu'est-ce pour nous mon cœur...* », qui semble inachevé (contrairement à tous les autres poèmes connus de 1871), date de mai. Sans refuser l'interprétation de M. Ruff (il y a peut-être d'autres poèmes postérieurs qui font allusion à « la Semaine sanglante » : *Après le Déluge*, par exemple), je continue à penser que ce poème est postérieur à la première rencontre avec Verlaine (septembre) et aux débats poétiques qu'ont eus Verlaine et Rimbaud et dont naîtront *Romances sans paroles* et les « Vers » de 1872. Il y aurait enfin à examiner la syntaxe pour se convaincre que « *Qu'est-ce pour nous, mon cœur...* » se situe entre la fin de 1871 et le début de 1872. Et je ne suis pas séduit par l'argument selon lequel «Jamais nous ne travaillerons » (vers 16) est à rapprocher de la lettre à Izambard du 13 mai, puisque dans *Une Saison en enfer* (1873) Rimbaud déclare aussi : « J'ai horreur de tous les métiers. »

[33] Ce thème a été l'objet d'un brillant exposé du professeur Louis Forestier, au printemps 1973 à Lausanne, dans le cadre d'un Séminaire de 3e cycle.

[34] J'ai compté dans les « derniers Vers » (éd. de la Pléiade) une quinzaine de futurs contre plus de cinquante impératifs (verbes conjugués seulement).

Puis se ressaisissant, il prend conscience de la fatalité qui l'accompagne partout et de l'impossibilité de revenir en arrière. Son horizon est bouché devant comme derrière :

> — *Ah ! songer est indigne*
> *Puisque c'est pure perte !*
> *Et si je redeviens*
> *Le voyageur ancien,*
> *Jamais l'auberge verte*
> *Ne peut bien m'être ouverte.*

Il avait éprouvé des « éveils maritimes », mais son canot est resté immobile (*Mémoire*, V) :

> *Mon canot, toujours fixe ; et sa chaîne tirée*
> *Au fond de cet œil d'eau sans bords, — à quelle boue ?*

Aux rêves des mers lointaines (« le bain dans la mer, à midi ») succède la flache d'Europe : le bateau n'était qu'un frêle « papillon de mai », il va « pourrir dans l'étang », se décomposer dans les mousses des forêts. Il souhaite même « Expirer en ces violettes humides Dont les aurores chargent ces forêts ».

> [...] *Si un rayon me blesse*
> *Je succomberai sur la mousse.*

« J'ai une soif à craindre la gangrène : les rivières ardennaises et belges, les cavernes, voilà ce que je regrette », écrit-il à son ami Ernest Delahaye en juin 1872. Ne rêve-t-il pas encore de retrouver la terre maternelle, de retourner sous une forme morbide à l'utérus de la Mère-Nature, à « la vulve des mères » ? [35]

L'étude du futur dans les « Vers » de Rimbaud nous invite à un cheminement précis que jalonnent l'expérience et les rêves du poète et qui définit un aspect fondamental de la poétique rimbaldienne. On a constaté, par d'autres voies que celle de M. A. Ruff, que Rimbaud « a toujours associé l'amour, la nature et la rénovation sociale [36] », mais que cette association thématique varie de sens au fil du temps. Elle varie également selon des ambivalences (métaphoriques aussi) : en même temps

---

[35] *Soleil et chair*, vers 106.
[36] *Poésies*, p. 103.

qu'il affirme sa foi en la Femme, en la Nature, en l'Avenir, Rimbaud éprouve le besoin de mépriser ses convictions toujours en butte à la fatalité de l'échec. On serait tenté de chercher une résolution baudelairienne de cette tragique dialectique dans l'appel à la mort:

> *Qu'il croie aux vastes fins, Rêves ou Promenades*
> *Immenses, à travers les nuits de Vérité,*
> *Et t'appelle en son âme et ses membres malades,*
> *O Mort mystérieuse, ô sœur de charité!*

Mais la synthèse est impossible, tant que Rimbaud garde confiance. Ainsi, *Une Saison en enfer* et les *Illuminations* me paraissent des variantes et des prolongements des poésies, mais dans une forme plus nouvelle. *Mauvais Sang*, par exemple, fourmille de ces soifs futures que la voyance devrait (aurait dû) étancher ou apaiser: *L'air marin brûlera mes poumons; les climats me tanneront.* [...] *Je reviendrai,* [...] *on me jugera d'une race forte J'aurai de l'or: je serai oisif et brutal.* Une Saison en enfer reprend d'une manière épique l'expérience passée, mais avec une conscience encore plus fatale de l'échec. Quant aux *Illuminations*, l'étude du futur permet, me semble-t-il de distinguer les poèmes qui retracent l'expérience du Voyant (verbes le plus souvent à la forme négative) des poèmes qui illustrent au présent la théorie de la voyance. Mais c'est là l'objet d'une autre interrogation.

GÉRALD SCHAEFFER

POÈMES DE LA RÉVOLTE ET DE LA DÉRISION

Chant de guerre Parisien

I 1 Le Printemps est évident, car
      Du cœur des Propriétés vertes,
      Le vol de Thiers et de Picard
   4 Tient ses splendeurs grandes ouvertes !

II 5 O Mai ! quels délirants culs-nus !
       Sèvres, Meudon, Bagneux, Asnières,
       Ecoutez donc les bienvenus
    8 Semer les choses printanières !

III 9 Ils ont schako, sabre et tam-tam,
        Non la vieille boîte à bougies
        Et des yoles qui n'ont jam, jam...
    12 Fendent le lac aux eaux rougies !

IV 13 Plus que jamais nous bambochons
        Quand arrivent sur nos tanières
        Crouler les jaunes cabochons
    16 Dans des aubes particulières !

V 17 Thiers et Picard sont des Eros,
       Des enleveurs d'héliotropes,
       Au pétrole ils font des Corots :
    20 Voici hannetonner leurs tropes...

VI 21 Ils sont familiers du Grand Truc !...
        Et couché dans les glaïeuls, Favre
        Fait son cillement aqueduc,
    24 Et ses reniflements à poivre !

VII 25 La Grand-Ville a le pavé chaud,
         Malgré vos douches de pétrole,
         Et décidément, il nous faut
     28 Vous secouer dans votre rôle...

VIII 29 Et les Ruraux qui se prélassent
          Dans de longs accroupissements,
          Entendront des rameaux qui cassent
      32 Parmi les rouges froissements !

Texte de la lettre à Paul Demeny, 15 mai 1871. Dans la marge droite, de bas en haut: Quelles rimes ! ô ! quelles rimes ! v. 14, dans la marge gauche, Rimbaud propose une autre version: Quand viennent sur nos fourmilières. J'ai rétabli l'orthographe cul*s*-nus (v. 5); une virgule à la fin du v. 9; Grand-*V*ille.

Le cœur supplicié

I   1 Mon triste cœur bave à la poupe...
        Mon cœur est plein de caporal !
        Ils y lancent des jets de soupe,
        Mon triste cœur bave à la poupe...
        Sous les quolibets de la troupe
        Qui lance un rire général,
        Mon triste cœur bave à la poupe,
    8   Mon cœur est plein de caporal !

II 9   Ithyphalliques et pioupiesques
        Leurs insultes l'ont dépravé;
        A la vesprée, ils font des fresques
        Ithyphalliques et pioupiesques;
        O flots abracadabrantesques,
        Prenez mon cœur qu'il soit sauvé !
        Ithyphalliques et pioupiesques
    16 Leurs insultes l'ont dépravé !

III 17 Quand ils auront tari leurs chiques,
        Comment agir, ô cœur volé ?
        Ce seront des refrains bachiques
        Quand ils auront tari leurs chiques !
        J'aurai des sursauts stomachiques
        Si mon cœur triste est ravalé !
        Quand ils auront tari leurs chiques
    24 Comment agir, ô cœur volé ?

Texte de la lettre à G. Izambard, 13 mai 1871.

Le cœur du pitre

I   1   Mon triste cœur bave à la poupe,
         Mon cœur est plein de caporal:
         Ils y lancent des jets de soupe,
         Mon triste cœur bave à la poupe:
         Sous les quolibets de la troupe
         Qui pousse un rire général,
         Mon triste cœur bave à la poupe,
    8   Mon cœur est plein de caporal !

II   9   Ithyphalliques et pioupiesques
         Leurs insultes l'ont dépravé !
         A la vesprée ils font des fresques
         Ithyphalliques et pioupiesques,
         O flots abracadabrantesques,
         Prenez mon cœur, qu'il soit sauvé:
         Ithyphalliques et pioupiesques
   16   Leurs insultes l'ont dépravé.

III 17   Quand ils auront tari leurs chiques,
         Comment agir, ô cœur volé ?
         Ce seront des refrains bachiques
         Quand ils auront tari leurs chiques:
         J'aurai des sursauts stomachiques
         Si mon cœur triste est ravalé:
         Quand ils auront tari leurs chiques,
   24   Comment agir, ô cœur volé ?

Texte de la lettre à P. Demeny, 10 juin 1871.

Le cœur volé

I   1   Mon triste cœur bave à la poupe,
         Mon cœur couvert de caporal:
         Ils y lancent des jets de soupe,
         Mon triste cœur bave à la poupe:
         Sous les quolibets de la troupe
         Qui pousse un rire général,
         Mon triste cœur bave à la poupe,
    8   Mon cœur couvert de caporal.

II   9 Ithyphalliques et pioupiesques
          Leurs quolibets l'ont dépravé !
          Au gouvernail on voit des fresques
          Ithyphalliques et pioupiesques
          O flots abracadabrantesques
          Prenez mon cœur qu'il soit lavé
          Ithyphalliques et pioupiesques
   16 Leurs quolibets l'ont dépravé !

III 17 Quand ils auront tari leurs chiques
          Comment agir, ô cœur volé ?
          Ce seront des hoquets bachiques
          Quand ils auront tari leurs chiques
          J'aurai des sursauts stomachiques
          Moi, si mon cœur est ravalé:
          Quand ils auront tari leurs chiques
   24 Comment agir, ô cœur volé ?

Copie Verlaine, octobre 1871.

Mes Petites amoureuses

I   1 Un hydrolat lacrymal lave
          Les cieux vert-chou:
          Sous l'arbre tendronnier qui bave,
    4   Vos caoutchoucs

II   5 Blancs de lunes particulières
          Aux pialats ronds,
          Entrechoquez vos genouillères,
    8   Mes laiderons !

III   9 Nous nous aimions à cette époque,
          Bleu laideron !
          On mangeait des œufs à la coque
   12   Et du mouron !

IV 13 Un soir, tu me sacras poète,
          Blond laideron:
          Descends ici, que je te fouette
   16   En mon giron;

V 17 J'ai dégueulé ta bandoline,
          Noir laideron;
          Tu couperais ma mandoline
   20   Au fil du front.

VI 21   Pouah ! mes salives desséchées,
                Roux laideron,
          Infectent encor les tranchées
      24   De ton sein rond !

VII 25   O mes petites amoureuses,
                Que je vous hais !
          Plaquez de fouffes douloureuses
      28   Vos tétons laids !

VIII 29   Piétinez mes vieilles terrines
                De sentiment ;
          — Hop donc ! Soyez-moi ballerines
      32   Pour un moment !...

IX 33   Vos omoplates se déboîtent,
                O mes amours !
          Un[e] étoile à vos reins qui boitent,
      36   Tournez vos tours !

X   37   Et c'est pourtant pour ces éclanches
                Que j'ai rimé !
          Je voudrais vous casser les hanches.
      40   D'avoir aimé !

XI 41   Fade amas d'étoiles ratées,
                Comblez les coins !
          — Vous crèverez en Dieu, bâtées
      44   D'ignobles soins !

XII 45   Sous les lunes particulières
                Aux pialats ronds,
          Entrechoquez vos genouillères,
      48   Mes laiderons !

Texte de la lettre à P. Demeny, 15 mai 1871.

Accroupissements

I   1 Bien tard, quand il se sent l'estomac écœuré,
        Le frère Milotus, un œil à la lucarne
        D'où le soleil, clair comme un chaudron récuré,
        Lui darde une migraine et fait son regard darne,
  5 Déplace dans les draps son ventre de curé.

II 6 Il se démène sous sa couverture grise
        Et descend, ses genoux à son ventre tremblant,
        Effaré comme un vieux qui mangerait sa prise,
        Car il lui faut, le poing à l'anse d'un pot blanc,
 10 A ses reins largement retrousser sa chemise !

III 11 Or, il s'est accroupi, frileux, les doigts de pied
        Repliés, grelottant au clair soleil qui plaque
        Des jaunes de brioche aux vitres de papier;
        Et le nez du bonhomme où s'allume la laque
 15 Renifle aux rayons tel qu'un charnel polypier.
     . . . .

IV 16 Le bonhomme mijote au feu, bras tordu, lippe
        Au ventre: il sent glisser ses cuisses dans le feu,
        Et ses chausses roussir, et s'éteindre sa pipe;
        Quelque chose comme un oiseau remue un peu
 20 A son ventre serein comme un monceau de tripe !

V 21 Autour, dort un fouillis de meubles abrutis
        Dans des haillons de crasse et sur de sales ventres;
        Des escabeaux, crapauds étranges, sont blottis
        Aux coins noirs: des buffets ont des gueules de chantres
 25 Qu'entrouvre un sommeil plein d'horribles appétits.

VI 26 L'écœurante chaleur gorge la chambre étroite;
        Le cerveau du bonhomme est bourré de chiffons:
        Il écoute les poils pousser dans sa peau moite,
        Et parfois, en hoquets fort gravement bouffons,
 30 S'échappe, secouant son escabeau qui boite...
     . . . .

VII 31 Et le soir, au[x] rayons de lune, qui lui font
        Aux contours du cul des bavures de lumière,
        Une ombre avec détails s'accroupit, sur un fond
        De neige rose ainsi qu'une rose trémière...
 35 Fantasque, un nez poursuit Vénus au ciel profond.

Texte de la lettre à P. Demeny, 15 mai 1871.

Dans les deux lettres où il expose sa théorie de la voyance, Rimbaud illustre son propos à l'aide de quatre poèmes :

Le Cœur supplicié (Lettre I, du 13 mai 1871, à G. Izambard) ; *Chant de guerre parisien; Mes Petites Amoureuses; Accroupissements* (Lettre II, du 15 mai 1871, à P. Demeny).

L'étude qui suit se veut complémentaire de l'édition critique[1] des deux lettres, où je n'ai analysé que les rapports généraux entre ces poèmes et la théorie élaborée par Rimbaud.

L'ensemble s'offre dans une véritable unité[2], grâce aux traits communs suivants :

1. Hermétisme affirmé dans le texte, mais qu'invite à déchiffrer tel commentaire de la lettre I («ça ne veut pas rien dire») ;

2. Inspiration révoltée, sinon communarde, concrétisée par l'agressivité d'un vocabulaire hostile aux normes poétiques de l'époque et qui se définit dans le *Chant de guerre* — comme dans *Les Mains de Jeanne-Marie,* — en référence explicite à la Commune.

La volonté de créer du *nouveau* se traduit ici par un travail qui touche au signifiant et au discours poétique même ; on retiendra, à cet égard, le commentaire de Ross Chambers :

Des mots savants ou néologiques se combinent avec des recherches d'ordre phonique pour attirer l'attention sur ce travail du langage. Dans *Chant de guerre parisien*, c'est le choix délibéré des rimes insolites qui, très visiblement, détermine le contenu inattendu des vers. Et qui niera qu'au début de *L'Orgie parisienne* l'impératif «Dégorgez» soit phonétiquement à l'origine de l'idée d'«orgie» (à moins que ce ne soit l'inverse) et sémantiquement à la source d'images nauséeuses et nauséabondes au moyen desquelles se figure la débauche ?[3]

La plupart des commentateurs s'efforcent de *traduire* les textes de Rimbaud en langage clair, «évident», mais se voient aussitôt contraints d'accumuler les interrogations, les hésitations ; pour ma part, je me tiendrai à un parti pris méthodologique qui, refusant le va-et-vient du

---

[1] Arthur Rimbaud, *Lettres du voyant*, éditées et commentées par Gérald Schaeffer, avec une étude de Marc Eigeldinger, «La voyance avant Rimbaud», Droz, 1975. On y corrigera, ligne 151 : Plaquez ; ligne 313, on lira : [après chiffons].

[2] Dans *Arthur Rimbaud 2*, textes réunis par Louis Forestier, Minard, 1973, on lira avec profit le bel article de Ross Chambers, «Réflexions sur l'inspiration communarde de Rimbaud».

[3] Article cité, p. 69.

texte à sa source d'inspiration — l'Histoire, le monde naturel et la biographie — s'enferme d'abord dans le poème pour y déceler le parcours de la pensée, en chaque poème, d'une part, et d'un poème à l'autre, d'autre part; sortir du texte ne se légitime que pour vérifier, en divers contextes, certains points d'accrochage entre l'idéologie de Rimbaud et celle de son temps. Pour prendre un exemple précis chez Rimbaud lui-même, savoir si *L'Orgie parisienne* dépeint l'arrivée des troupes prussiennes dans la capitale ou le retour des Versaillais ne me paraît pas une question *primordiale*, propre à éclairer la poésie de la voyance à laquelle se consacre Rimbaud au moment d'envoyer ses deux lettres; à cet égard, la démonstration de M.-A. Ruff ne présente pas le caractère définitif qu'on lui prête d'ordinaire. Bref, seul compte ici, à mes yeux, le cri d'indignation, de refus, de sarcasme: tant mieux s'il peut, *à la fois*, concerner Prussiens et Versaillais.

Chant de guerre parisien

Ainsi, encore, de l'expression — empruntée au *Chant de guerre*[4] — *lac aux eaux rougies*: il est *évident*, pour les divers éditeurs de Rimbaud, qu'il s'agit du Bois de Boulogne, mais cette référence à l'actualité se heurte aussitôt à une difficulté insurmontable, puisque cet endroit n'a été occupé par les Versaillais que le 15 mai... Renonçons donc à défricher cette jungle de mots et d'images à coups d'évidences et de mystères associés: les lianes se referment vite derrière le malheureux explorateur, aveuglé, assourdi, paralysé. Essayons d'autres chemins, par d'autres moyens.

Hugo écrit, dans une lettre du 22 juillet 1870, publiée par les journaux anglais:

Ce qui va couler à flots dans le Rhin, ce n'est plus l'eau pure et libre des grandes Alpes, c'est le sang des hommes.

Louise Michel[5] évoque, pour sa part, la semaine sanglante:

[...] de la caserne Lobeau le sang en deux ruisseaux s'en alla vers la Seine: longtemps il y coula rouge.

---

[4] Je commence par analyser quelques points précis de ce poème, parce que des problèmes généraux s'en dégagent — antiphrase, dérision, type de message — qui concernent l'ensemble des textes offerts dans les deux lettres.

[5] *La Commune*, Stock, 1898, p. 315.

Dans son *Histoire de la Commune,* Lissagaray [6] dit à son tour:

[...] le flot rouge de la Seine reflète les monuments et double l'incendie.

[...] La gloire du Turenne de 1871 se découvrait jusque dans la Seine marbrée par une longue traînée de sang qui passait sous la deuxième arche du pont des Tuileries.

Enfin, Zola [7], dans *La Débâcle,* décrit l'incendie de Paris en une véritable vision mythique:

Jean, étranglé, murmura:
— Ce n'est pas Dieu possible! la rivière va prendre feu.
La barque, en effet, semblait portée par un fleuve de braise. Sous les reflets dansants de ces foyers immenses, on aurait cru que la Seine roulait des charbons ardents.
Détruire pour détruire, ensevelir la vieille humanité pourrie sous les cendres d'un monde, dans l'espoir qu'une société nouvelle repousserait heureuse et candide, en plein paradis terrestre des primitives légendes!
A cette fin si claire d'un beau dimanche, le soleil oblique, au ras de l'horizon éclairait la ville immense d'une ardente lueur rouge. On aurait dit un soleil de sang, sur une mer sans borne. Les vitres des milliers de fenêtres braisillaient comme attisées sous des soufflets invisibles [...] la vie grondait encore, au milieu du flamboiement de ce royal coucher d'astre, dans lequel Paris achevait de se consumer en braise.
Alors, Jean eut une sensation extraordinaire. Il lui sembla, dans cette lente tombée du jour, au-dessus de cette cité en flammes, qu'une aurore déjà se levait.

Autant de rêveries — non des sources, puisque ces textes ne sont pas tous antérieurs au poème de Rimbaud — qui connotent l'horreur de la guerre et du massacre, — Prussiens ou Versaillais, peu importe. Le *lac aux eaux rougies,* vision hallucinée qu'accentue, par contraste, la référence à la chanson populaire du *Petit Navire,* superpose l'image colorée par les rayons du soleil couchant à celle d'une mort apocalyptique signifiée par la transformation de l'élément naturel en nappe de sang.

Ainsi la mythologie grecque voit-elle chaque printemps rougir le fleuve Adonis, en commémoration de la mort du dieu adolescent; ainsi la légende suisse couvre-t-elle chaque année le lac de Morat du sang des Bourguignons, quand les savants nous disent qu'une algue rouge prospère dans les eaux polluées... Comment ne pas évoquer aussi la conclu-

---

[6] P. 332; p. 379, éd. Maspero, 1976.
[7] Pp. 483; 492; 500, « Livre de poche ».

sion de *Salammbô* où les derniers battements du cœur de Mâthô rythment la disparition du soleil dans la mer ? [8]

Choc, contraste entre la résurrection de la nature et la mort des hommes, entre le mouvement cyclique et l'anéantissement : le dormeur du val, dans son sommeil bucolique, se révèle soudain soldat percé de balles, — et le *vert* se transforme en *rouge*. Le code des couleurs nous retiendra donc, dans l'analyse du *Chant de guerre*, code que Rimbaud développe à travers le poème en liaison avec la première déclaration, d'allure démonstrative et d'une tonalité qu'il faudra préciser :

> *Le Printemps est évident, car*

Il s'agit de dégager de ces huit strophes les arguments qui s'enchaînent, pour définir cette *évidence* assénée au départ : c'est sur le mode du sarcasme que se dessine la logique du texte.

> *Du cœur des Propriétés vertes*
> *Le vol de Thiers et de Picard*
> *Tient ses splendeurs grandes ouvertes !*

Propriété et *vol* : il est, dès l'abord, de significatives rencontres... Le célèbre mot de Proudhon, Flaubert l'avait repris en 1869 dans *L'Education sentimentale*. Par ailleurs, M. Thiers est l'auteur d'une réjouissante ânerie, intitulée pompeusement *De la Propriété* (Paris, 1848). Sous la forme d'un traité philosophique — comme l'ouvrage, chaque chapitre commence par *Du* ou *De la*, chers aux latinistes ... — se déroule un amalgame de stupidités et de lieux communs, propres à éveiller la satire. L'auteur vise, en particulier, à montrer que « la propriété est un fait général, universel et croissant et non décroissant » (p. 29), qu'elle est « une loi de l'homme », « fait pour la propriété [...] loi de son espèce [...] celle de toutes espèces vivantes » (p. 30).

---

[8] « Le soleil s'abaissait derrière les flots ; ses rayons arrivaient comme de longues flèches sur le cœur tout rouge. L'astre s'enfonçait dans la mer à mesure que les battements diminuaient ; à la dernière palpitation, il disparut. »

Le début et la fin de *L'Insurgé* jouent aussi sur le code des couleurs : opposition *culture/nature* et transfert *culture → nature*. Première phrase : « C'est peut-être vrai que je suis un lâche, ainsi que l'ont dit sous l'Odéon les bonnets rouges et les talons noirs ! » ; dernières lignes : « Je regarde le ciel du côté où je sens Paris.

Il est d'un bleu cru, avec des nuées rouges. On dirait une grande blouse inondée de sang. »

Il est juste de donner, en contre-point, la parole au Père Duchesne de Vermersch, sur le même thème :

Mille tonnerres ! la propriété financière a maintenant, quoique de noblesse plus récente, toutes les prétentions de la propriété terrienne ! La propriété ! céder quelque chose de ses droits ! Ah ! ah ! laissez le Père Duchesne desserrer la boucle de son haut de chausse pour qu'il puisse rire à son aise.
La propriété est affolée, cette mourante a le délire, et la maladie mortelle dont elle est atteinte explique les exigences qu'elle ose encore montrer à cette heure !

Le *vol* est pris par Rimbaud dans ses deux sens principaux : vol d'un oiseau, d'un insecte, d'un être mythologique et rapt [9] ; les *culs-nus* du vers 5, puis, en opposition, les hannetons du vers 20, les *Eros* du vers 17 surtout (ce dernier terme, équivalent de *culs-nus*, est aussi à la rime du premier vers de la strophe) autorisent en effet à prendre le terme dans son ambivalence et selon l'optique du calembour : hérauts, héros, Eros, Zéros... culs-nus ! L'antiphrase apparaît comme la figure dominante de ce poème : l'évidence du printemps ne se démontre-t-elle pas à l'aide d'une chaîne d'images qui disent, en apparence, l'arrivée de la saison nouvelle [10] et, en profondeur, celle de soudards dévastateurs, voleurs, incendiaires, massacreurs ? Le duo *Thiers-Picard*, grotesque couple d'Amours [11], pervertit le rôle dévolu par la mythologie aux pourvoyeurs de la nature :

Semer les choses printanières

(qui est le dernier vers de la strophe II) reprend l'équivoque des *splendeurs grandes ouvertes* puis se répète avec *eaux rougies* (dernier vers de

[9] « Un des premiers actes du règne de Napoléon III fut, on le sait, de confisquer les biens de la famille d'Orléans. On en fit un joli jeu de mots : « C'est le premier vol de l'aigle. » Freud, *Le Mot d'esprit et ses rapports avec l'inconscient*, Gallimard, 1971, p. 52.

[10] Cf. ces vers de Hugo, 22 mai 1870, CFL, T. XIV, p. 904 :
L'homme est le travailleur du printemps, de la vie,
De la graine semée et du sillon creusé,
Et non le créancier livide du passé.

[11] Cf. Banville, « La Voyageuse » des *Odes funambulesques* : « Tous ces petits culs-nus d'Amours », ou Béranger : « Vieux petits culs nus d'amours » (cité par Littré).

III) et, enfin, avec *aubes particulières* (dernier vers de IV). *Splendeurs* qui désigne *horreurs*; *choses* pour dire l'antithèse — sans doute scatologique, par référence aux *accroupissements* de la fin — des fleurs, déjections naturelles et mitraille d'obus à pétrole. *Rougies* feint de renvoyer aux lueurs, euphoriques, naturelles de l'aube pour dire la mort et, enfin, *particulières* reprend l'ensemble pour exprimer la notion générale de perversion: quel printemps que celui répandu par les deux sinistres bonshommes et leurs troupes !

Vient, alors, le dernier vers de la strophe V, essentiel à mes yeux :

Voici hannetonner leurs tropes...

Hannetonner : secouer les arbres, au printemps, pour en déloger les hannetons.

Tropes : dans un premier sens — le moins important — ce terme est un à-peu-près (ou un archaïsme ? signalé chez Du Bellay par Forestier) pour *troupes*, bandes versaillaises qui secouent les Parisiens (avant de se faire secouer, sur la fin du poème [12]), comme, dans la strophe précédente, les *jaunes cabochons* viennent ébranler *tanières* ou *fourmilières* (doublet noté en marge, que je commenterai plus loin).

Le second sens permet d'entrevoir le mouvement de pensée propre à Rimbaud: il s'agit, en montrant la perversion du langage opérée par les Versaillais, en dénonçant le mensonge du discours tenu par l'historique trio Thiers-Picard-Favre, de rétablir la vérité masquée par la rhétorique de l'époque. Favre [13] apparaît dans la strophe VI en ridicule « pleureur du val », rôle qu'il affectionne lors de ses négociations avec Bismarck; le Père Duchesne parle du « gouvernement des pleurards »...

Les strophes V et VI constituent, de ce point de vue, un tout, indexé de plusieurs façons: liaison phonique *(TRopes — TRuc)*; liaison syntaxique *(Thiers et Picard* du vers 1, sujets de V repris par *Ils,* vers 1 de VI, et liés à *Favre* par *ET couché,* vers 2). Liaison sémantique, enfin, entre *faire des Corots au pétrole*; les tropes qui hannetonnent; *familiers*

---

[12] Pendant le siège de Paris, le nommé Le Guillois fonde *Le Hanneton,* « journal des toqués ». Si l'on se souvient que « ver Turc » est « le nom assez courant de la larve du hanneton, ou ver blanc » (Larousse), on pourrait conclure que, comme ces Eros volants sont des Zéros, ainsi ces charmants culs-nus sont hannetons au vol lourd et ridicule.

[13] Cf. aussi Grand-Carteret, *Les Mœurs et la caricature en France,* p. 428: « Jules Favre, transformé souvent en fontaine... »

du Grand Truc. S'il est *évident* pour A. Adam (Pléiade, p. 882) [14] que le *Grand Truc* est Dieu (une de ces évidences qui ne trouvent aucune justification dans le contexte...), à mon avis, l'expression — par référence, bien sûr, à *Grand Turc* ... les éditeurs de Rimbaud commettent souvent la coquille — doit se prendre au sens propre, comme une marque typique du *psaume d'actualité,* c'est-à-dire du poème qui, inspiré des choses vues (ou lues) concernant les événements de 1871, entend s'élever — *chant sacré* — à la hauteur d'un lyrisme philosophique et religieux, conçu comme une analyse générale, applicable à toute situation historique analogue. Dans ce sens, c'est bien une divinité féroce et sinistre que sert le trio, en cette figure de style — le Truc, le Plan — qui permet au gouvernement d'endormir les naïfs ou de calmer les inquiets. C'est une forme allégorique de ce que *Le Canard enchaîné* immortalisera sous le nom de *Bourrage de crâne.* Que la situation militaire paraisse délicate, que les troupes françaises se replient ou capitulent, que les généraux Trochu et Ducrot (et dans ces noms il y a TRUC!) semblent en difficulté, cela n'importe pas à ceux qui *savent*: ces grands chefs ont leur *plan,* leur *truc*! Quelques citations illustreront mon propos:

Il ne s'agissait plus seulement du plan Trochu déposé suivant la chanson et suivant l'histoire aussi, chez M⁰ Duclou, son notaire, mais encore du plan Bazaine lequel consistait à lâcher tout. (Louise Michel, p. 96).

La Grande colère du Père Duchesne, Avec ses révélations sur leurs trucs [des royalistes] pour détruire le suffrage universel. (Vermersch, p. 49).

Halte-là, mes bougres! Le Père Duchesne va débiner vos trucs. (p. 50).

Oui, votre plan, c'est de supprimer l'influence des grandes villes où tous les patriotes savent lire dans les journaux, et sont trop malins pour se laisser foutre dedans par les trucs et tours de gobelets de tous les sacrés charlatans de malheur! (p. 54).

N'y avait-il pas le plan de l'empereur, doublé du plan de Mac-Mahon, et le truc — ainsi parlaient les malins — ne consistait-il pas précisément à attirer l'ennemi d'abord devant Châlons, puis, plus tard, devant Paris pour lui administrer *une tripotée* définitive?

---

[14] « *Le Grand Truc,* c'est Dieu, naturellement. Car Thiers et Picard sont les défenseurs de l'Ordre, qui est Dieu. » Passez muscade! mais rien sur le jeu Truc-Turc...

Que vous semble maintenant de ces fameux plans et de ces trucs ?
(G. Lefrançais, *Etude sur le mouvement communaliste à Paris, en 1871*,
Neuchâtel, 1871, p. 401).

Ainsi, naguère, la radio suisse accompagnait-elle, en des communiqués apparemment objectifs, les troupes allemandes qui, jour après jour, « se repliaient sur des positions préparées à l'avance » jusqu'à Berlin, retour des plaines de Russie... Elles avaient leur *plan*.

Créer des œuvres d'art grâce au feu des obus à pétrole, tromper les Parisiens avec des déclarations mensongères de style fleuri, pleurer des larmes de crocodile pour attendrir l'adversaire : autant de variantes d'une seule attitude, d'un seul *rôle* (dernier vers de VI) : Tartuffe ou l'anti-phrase.

Dès lors, les deux dernières strophes répondent au programme annoncé par le titre *Chant de guerre Parisien* et menacent les Versaillais : la vérité va sortir de sa tanière, le drapeau rouge, l'activité révolutionnaire s'opposeront au Printemps factice promis par les *Trois Grâces* — pour reprendre le calembour d'une caricature de la Commune qu'évoque Lissagaray : « Aux kiosques voici les caricatures : Thiers, Picard, Jules Favre sous la figure des trois Grâces enlaçant leur ventri-potence » (p. 293).

C'est donc en termes d'opposition que s'affrontent le début et la fin du poème : *Propriétés vertes* / *rouges froissements*; opposition qui se retrouve dans la construction de la strophe finale, avec la ridicule posture des Ruraux et les *rameaux qui cassent* sous les pas des révoltés.

Accroupissements: « Au bout d'un moment, il lui vient envie de faire un *délaçage de braies* ou un accroupissement »: c'est un paysan breton décrit par P. Jakez Hélias (*Le Cheval d'orgueil*, p. 406) qui confirme le sens du terme, bien illustré par le frère Milotus de Rimbaud, accroupi sur son pot.

A l'offensive « printanière » de la première partie répond donc la menace satirique de la fin. *Ecoutez donc* s'adresse aux Parisiens dont le narrateur est d'abord distinct en tant qu'observateur attentif et plus averti qu'eux des menées versaillaises, puis avec qui il se confond — strophe VII — avec ces NOUS et VOS, groupe inconscient, passif, pour se distancer à nouveau d'eux, dans le dernier mouvement de la strophe VIII, en déclamateur, porte-parole des mêmes Parisiens. Paris en révolte, la nature associée à la résistance humaine en ce dialogue

VOS-NOUS-VOUS-VOTRE, cependant que *rameaux* qui cassent [15] et *rouges* froissements reprennent, en en renversant la succession, les expressions analogues du début, union de l'humain et du naturel: propriétés *vertes*; eaux *rougies*.

L'opposition se marque aussi dans les deux dernières strophes, puisque le vers 1 de VII

> *La Grand-Ville a le pavé chaud*

annonce le sursaut qui va secouer (vers 1 de VIII)

> *les Ruraux qui se prélassent*

Reprenons — au début et à la fin — les *Propriétés vertes* et les *rouges froissements*. *Vertes* peut se prendre au sens, réaliste, des demeures versaillaises dont la floraison printanière s'oppose au pavé de Paris, tout en évoquant, par la sonorité, l'odieux *Versailles* des Propriétaires, face aux misérables travailleurs — fourmis ou bêtes sauvages — de Paris. *Froissements* s'accorde — nous avons établi la validité de l'opposition *début/fin* — à l'étoffe, au drapeau dont la couleur transparaît derrière les branchages. Un double bruit menaçant — métonymie de l'effet (rameaux qui cassent sous les pieds des révoltés) et métaphore des troupes parisiennes en marche — parvient alors aux Ruraux. Se dessine donc un mouvement qui, de l'assurance triomphale de semailles (et vert s'oppose alors à la complémentaire rouge!) et d'agressions empruntant les voies de l'art et du sentiment (fendre, crouler, hanne-tonner, renifler, doucher pour, enfin, déféquer béatement) aboutira, brève et forte conclusion, aux premiers sons d'une proche tempête écrasant les culs-nus: le psaume d'actualité est une Marseillaise, non un pitoyable Eleison — pour reprendre l'évocation des *Mains de Jeanne-Marie*.

Ce qui ressort d'une telle interprétation, c'est (au-delà d'une peinture d'actualité, indéniablement présente avec les noms des politiciens) le conflit entre deux rhétoriques, celle de la tradition — de Banville et de Thiers — et, utilisant de façon satirique les procédés de l'adversaire, celle de la voyance dont rêve Rimbaud comme d'un instrument de théorie littéraire et de pratique révoltée, sinon révolutionnaire.

---

[15] « Petite branche d'arbre » (Littré), le rameau est *fructueux, fécond* ou *vert* (Boileau; Delille; Ducis); en jardinage, « résultat du bourgeon de l'année ».

Restent des difficultés, à propos desquelles on ne peut avancer que de prudentes hypothèses, aptes pourtant à inscrire ces images dans le cadre général que nous avons dessiné: appel à la nouveauté, d'une part, et caricature visant à révéler, d'autre part, le véritable visage des *tropes* versaillais, perversion de l'art et du langage:

Strophe III, *la vieille boîte à bougies* remplacée par le tam-tam désigne-t-elle un instrument militaire, tambour ancien auquel succéderait un *tam-tam* sauvage, panique? L'expression, appelée par la rime *jam-jam*, pourrait trouver son modèle dans celle, courante sous la plume des historiographes du temps, de « boîte à mitraille » [16].

Strophe V: *enleveurs d'héliotropes*, en apposition à *Eros* donne à Thiers et à Picard un rôle mystérieux: comme ils *sèment* (strophe II), ils jettent ici des gerbes lumineuses — comme on enlève une esquisse? — qui évoquent les fleurs solaires; ce sens aurait alors l'intérêt de bien lier ce vers au suivant, où les flaques et les explosions de pétrole répandent sur la vision des harmonies picturales à la Corot, mais selon la perversion déjà perçue avec les *tropes*.

Enfin, strophe VI, les *reniflements à poivre* de Favre demeurent eux aussi mystérieux, même s'ils semblent s'accorder à la figure pleurnicharde du ministre.

Les marges du texte jouent aussi leur rôle; à gauche, Rimbaud a noté une seconde version du vers 2 de la strophe V:

Quand viennent sur nos fourmilières

et à droite, verticalement:

Quelles rimes! ô! quelles rimes! [17]

Si *fourmilières* rime exactement avec *particulières*, *tanières* offre un double avantage, qui a sans doute empêché Rimbaud de renoncer à sa première rédaction:

---

[16] Par exemple, B. Malon, *La 3ᵉ défaite du prolétariat français*, Neuchâtel, 1871, p. 436: « Une pluie de bombes à pétrole, d'obus, de boîtes à mitraille »...
Le terme « boîte à bougies », ignoré du Larousse du XIXᵉ siècle, est utilisé pour désigner un récipient fixé sous le caisson des cuisines roulantes dans l'armée française des années 70. Métallique, ce récipient évoquerait-il un tambour avec lequel transmettre des informations? (Renseignements aimablement fournis par J. P. Jelmini, Conservateur du Musée d'histoire de Neuchâtel).

[17] Même note dans les marges de *Mes Petites Amoureuses*.

1. Le mot évoque l'abri de bêtes sauvages, traquées, d'abord, accablées par le tir des canons, et qui vont, ensuite, prendre l'offensive; terme plus large et plus fort, donc, que *fourmilières*;

2. *Tanières* constitue une rime parfaite — strophe II — à *printanières* et renforce singulièrement les jeux phoniques du poème: *choses printanières* contient ce *nos tanières* d'où se dégage la double signification du Printemps, parodique du côté des Versaillais (les *bienvenus* !), marqué par vol, mort et sang, et, euphorique, marqué du côté parisien par le ressaisissement, l'abandon de la bamboche en faveur du combat révolutionnaire.

Loin de succomber au Grand Truc, aux mensonges de la démonstration versaillaise à propos du Printemps, les gens de la Grande-ville vont, grâce au poète, substituer l'astre rouge [18] d'une véritable insurrection aux aubes particulières et aux faux Corots.

Quelles rimes ! Remarque purement critique, sarcasme du lecteur-auteur ? Je pencherais plutôt pour une exclamation satisfaite qui, sous une forme narquoise (analogue à *psaume* et à *chant pieux*) insiste sur le caractère neuf, sur le rôle primordial accordés ici aux conventions poétiques, moteur du système linguistique du poème.

Jacques Gengoux a signalé un poème de François Coppée, «Chant de guerre circassien», huit strophes d'octosyllabes, qui pourraient bien, en effet, constituer une des sources à partir desquelles Rimbaud monte sa parodie. Ainsi, dans l'avant-dernier vers, un «marchand turc» renverrait à la plaisanterie du Grand Truc, comme — on s'en souvient — *Les Mains de Jeanne-Marie* utilisent ironiquement les *Etudes de mains* de Gautier.

Le point le plus intéressant me paraît se trouver dans la strophe I:

> *Avril est la saison des grêles,*
> *Et les balles vont le prouver*

puisque ce mouvement ironique correspond bien au

> *Le Printemps est évident, car*

Louise Michel propose une notation analogue:

On entendait incessamment sur le parc de Neuilly grêler les balles à travers les branches avec ce bruit des orages d'été que nous connaissons

---

[18] Louise Michel: [...] dans l'air soufflait la *Marseillaise*, Rouge était le soleil levant. (*Chanson des geôles*).

si bien. L'illusion était telle qu'on croyait sentir l'humidité tout en sachant que c'était la mitraille (p. 252).

Comme pour les *eaux rougies*, voilà, non une source, mais une façon typique, propre à l'idéologie du romantisme et de la fin du XIXe siècle, de connoter l'horreur de la guerre moderne, dont les instruments — obus, balles, fusées — empruntent la figure de phénomènes naturels. A cet égard, il faut insister sur l'exemplarité de la *scène* du *Dormeur du val*, où la mascarade ne résiste pas à la lucidité du poète, chargé de dévoiler, de révéler la réalité ainsi détournée de sa signification habituelle. C'est bien aussi une entreprise menée sur le langage, une lutte engagée contre la rhétorique mensongère [19] des tyrannies par la poésie nouvelle, objective, du voyant. Le code des couleurs introduit une description visuelle qui, dans sa systématique, permet à la fois de mimer l'entreprise versaillaise («faire des Corots») et de proposer, *contre* cet art mystificateur, l'équivalent d'une image d'Epinal, véridique, elle, chant et peinture de la révolte. Voyons cela en détail.

Vert : printemps, jeunesse, mai (Littré);

Rouge : «feu, sang» (ainsi débute l'article du Littré !).

Le Dormeur du val utilise explicitement l'opposition symbolique, à sens dramatique, du vert végétal et du sang humain. Une longue tradition atteste le sens de ce couple; dans le récit de *Macchabées*: «l'étang [...] tout rouge du sang des morts»; *Phèdre* (V. 6):

> [...] *elle voit l'herbe rouge et fumante*

tout comme *La Chanson de Roland* offre le contraste entre une nature euphorique ou indifférente et la trace d'un drame humain qui vient la transformer dans son caractère même, le vert. On remarquera que dans *Voyelles*, Rimbaud utilise la succession rouge-vert-bleu, qu'il renverse dans *Le Dormeur du val*: bleu-vert-rouge. C'est sur ces complémentaires rouge-vert que se joue le travail langagier le plus important, pour peu que l'on perçoive l'opposition *nature/humain* comme liée fondamentalement à ce couple. Ainsi pouvons-nous reprendre le *début* et la *fin* du texte: les *rouges froissements* et les *Propriétés vertes*. Dans les deux cas, l'adjectif extirpe le substantif de son champ: *froissements* des feuilles et

---

[19] Mensonge qui travestit aussi la Nature: dans *Le Dormeur du val*, l'injonction — «Nature, berce-le chaudement» — résonne à son tour sur un ton d'amertume.

des branches sous les pas des soldats s'applique, sous l'effet de *rouges*, aussi à l'idée de drapeau, de révolte, d'humain, sans effacer d'ailleurs le premier emploi. Ainsi, *Propriétés vertes* est le terme-drapeau de la réaction versaillaise, qui feint de représenter tout ce qui est frais, printanier, promesse d'avenir et concerne donc aussi bien le groupe humain dirigé par Thiers que les habitations des potentats ruraux. Du *vert* au *rouge*, c'est le parcours poétique et social du texte même qui est ainsi fortement marqué.

La strophe IV ajoute, au vers 3, *les jaunes cabochons* aux couleurs utilisées dans le poème: obus métamorphosés en astres maléfiques, qui provoquent les *aubes particulières*, ces pierres précieuses se retrouvent à la strophe suivante (V, 2) avec des *héliotropes*, terme qui désigne les fleurs solaires (ailleurs évoquées par Rimbaud), mais aussi des pierres vertes à veines rougeâtres: dans ce dernier sens, l'unité profonde du texte apparaîtrait encore mieux assurée [20].

Fantaisie, en guise de conclusion à l'analyse de ce poème, à partir d'une lecture *abracadabrante*; on pourrait, en effet, lire I, 4:

Homais ! quel délire en cul-nu !

et parcourir alors le poème pour y découvrir quelques étranges, mais non décisifs paragrammes.

La strophe I est encadrée par les deux noms propres:

vers 1   *Printemps*   *évi*dent   *car*   [Picard]
     3   Thiers Picard
     4   *Ti*ent   ouve*rtes*   [Thiers]

Dans les strophes II et III, *printanières* et *tanières* répètent Thiers (qui peut aussi se lire *tiers*, — avant d'être un zéro...); à quoi s'ajoute *particulières*.

A la strophe V, *héliotropes* contient *pétrole*, tandis qu'à la strophe suivante, VI, *Favre*, placé à la rime, se répète

     4   *Fa*it (premier mot)
     5   poi*vre* ! (dernier mot)

---

[20] En vrac, ici, des éléments du contexte historique, donnés comme rêveries accessoires (sous la caution du *délirants* !): sur la Seine, à Asnières, on a construit un pont de bateaux; de là, peut-être, ces yoles, détournées de leur rôle véhiculaire, peintes satiriquement, qui n'ont jam, jam... Un journal satirique du temps s'appelle le *Tam-Tam*; quant à la publication *Le Tinta-marre*, elle a pour directeur Léon Bienvenu...

Enfin, strophe VIII, le dernier vers du poème

Parmi les rouges...

offre PARIS.

Mais tout cela n'est-il que rêverie, hasard, déchiffrable en n'importe quel autre texte ?

Si l'on entend se fixer des règles de lecture, la strophe I n'offre qu'un incertain P-i-car, tandis que semble plus solide Ti-er, s'il est vrai que s'unissent ainsi les *premières* lettres avec la *fin* du vers. Ainsi encore, strophe V, l'*initial* TH se lierait avec le *final* ERos; quant à Favre, c'est bien le *début* et la *fin* des vers qui le constituent. Enfin, *Paris* rétorquerait à *Ruraux*, placé dans le premier vers de la même strophe. Fin de la fantaisie.

Le Cœur supplicié

Envoyant ce poème à Izambard, Rimbaud écrit:

Je vous donne ceci: est-ce de la satire, comme vous diriez ? Est-ce de la poésie ? C'est de la fantaisie toujours.

Je l'ai montré en détail dans l'édition des *Lettres*, il faut ici abandonner les interprétations classiques qui confèrent à *fantaisie* un sens banal et faible, sorte de divertissement opposé à la réalité d'une peinture chargée de refléter notre monde. Tous les romantiques — en référence à Hoffmann — utilisent ce terme dans un sens fort, de création, d'invention, de travail de l'imagination. Ainsi Balzac, dans *L'Enfant maudit*:

[...] les mille jets de son âme avaient peuplé son étroit désert de fantaisies sublimes.

Rimbaud lui-même, dans la lettre à Demeny du 17 avril 1871, écrit:

Les choses du jour étaient *Le Mot d'ordre* et les fantaisies, admirables, de Vallès et de Vermersch au *Cri du Peuple*.

De larges citations des articles de Vallès suffiront ici, je l'espère, à montrer que les « psaumes d'actualité » publiés dans *Le Cri du Peuple* — et que Rimbaud lit durant son séjour dans la capitale entre février et mars 1871 — sont des textes propres à retenir l'attention de l'apprenti-voyant; jeux rhétoriques et sonores, souci de transmuter la réalité sociale et politique du drame qui se joue alors en tableaux fantaisistes ou fantastiques (Hoffmann, Nerval, Balzac, Gautier témoignent de la synonymie des deux adjectifs):

Paris vendu

Il fait pitié, ce Paris vaincu !

Les rats peuvent courir dans nos canons comme dans la bouche des égouts; les mulets ramènent au trot dans les casernes les affûts vides, qui ressemblaient à des crucifix sans cadavre [...]

[...] tous les traîtres trottaient à travers les rues dépavées et fumantes derrière la jument de Cavaignac, et ils crachaient en chemin sur les blessures des vaincus.

[...] Ce sont eux qui ont préparé ces ruines. Lyon demandait le drapeau rouge: ils ont voulu le pavillon noir !

Soit !

(*Cri du Peuple*, mercredi 22.2.71)

Le Parlement en blouse

[...] C'est le travail en manche de chemise, simple et fort, avec des bras de forgeron, le travail qui fait reluire les outils dans l'ombre et crie:

— On ne me tue pas, moi ! On ne me tue pas, et je vais parler !

(27.2.71)

Bravo Paris

On dit que M. Thiers a fondu en larmes ! — Nous, les sacrifiés, nous ne pleurerons pas. [cette phrase se répète en refrain à travers tout l'article].

Mais, sur la place de la Bastille, le Peuple afflue toujours autour de cette colonne qui domine la défaite et le deuil: sainte comme un tombeau, haute comme un phare, immobile comme un écueil.

Et ce n'est pas le désespoir d'un équipage, à l'heure de détresse qui vient prier près du grand mât ! [...]

La visite faite, les bataillons repartaient au pas accéléré, tambour en tête, vers les bivouacs improvisés au cœur d'un faubourg. Il y avait, au bout de leurs fusils, des baïonnettes qui accrochaient les drapeaux noirs suspendus aux fenêtres, et y faisaient des trous par où passaient des lames de soleil.

Il passait du soleil ! — A travers notre douleur aussi passait une flamme d'espoir ! — Nous, les sacrifiés, nous ne pleurerons pas !

Le drapeau rouge

Il a flotté depuis quatre mois au sommet de Lyon sur les hauteurs de la Croix-Rousse ! Flotté comme une menace contre les Allemands qui, de loin, croyaient voir luire la crête d'un volcan.

Aujourd'hui que tout est perdu, le drapeau rouge descend; ils n'amènent pas leur pavillon, ils l'abaissent: quand tout se tait, ils font taire aussi cette bannière qui criait dans le vent et arborent le pavillon noir !

Pauvre drapeau rouge, grand calomnié !

On en a fait l'étendard des meurtriers, parce qu'il a la couleur du sang ! Mais ce sang, c'est celui du peuple, le sang du martyr, et non le sang du bourreau. Il n'a que cela à donner, ce peuple. C'est son or et sa pourpre : il a ouvert ses veines, voilà tout, et il en a inondé sa bannière.

Tous les peuples qui naissent en sont là : ils prennent pour porter au-dessus de leurs bataillons proscrits quelque chose qui se voie de loin, qui ait une lueur d'incendie ! Langue de feu, symbole de flamme !

Un symbole, rien qu'un symbole !

Des furieux veulent en faire une cible à laquelle on clouera le prolétariat pour lui cracher au visage ou le fusiller. Nous sommes quelques-uns qui n'avons pas encore la langue pendante et le cou cassé et nous crions à ceux qu'on voudrait charger de la besogne :

Prenez garde ! Vous allez commettre un assassinat !

On vous dit que qui n'a pas craché sur ce chiffon et mordu cette loque est digne de vos haines.

Ce chiffon, cette loque ! mais la Révolution se soucie bien de ce morceau de coton ou de laine qui s'éguenille dans le brouillard !

Elle salue ce drapeau parce qu'il a, quoi qu'on en dise, un passé glorieux, et qu'enfin, chaque fois que le peuple se leva pour le droit et alla mourir aux barricades, ses héros choisirent ce lambeau rouge pour suaire. [...]

Mais il y a aujourd'hui un pavillon neutre, ce pavillon sombre que Lyon vient d'attacher au front de son Hôtel de Ville. Je demande aux honnêtes gens de se ranger avec nous à l'ombre de ce pavillon-là.

Nous n'avons pas fait feu sur le drapeau tricolore, — il est du peuple aussi ; car il est fait, pour un morceau, d'un coin de blouse — et sous ses plis on s'est batttu, plébéiens comme bourgeois, ardents et modérés, tous ensemble à Champigny, Buzenval et Montretout, — l'on se battait encore, entendez-vous, et on n'aurait pas regardé à la couleur de la bannière, l'autre jour, si Guillaume avait, comme César, voulu passer le Rubicon.

Le 18 mars 1871

Le drapeau noir abritera de ses plis les mutilés et les proscrits : liés à la hampe, ils crieront jusqu'à la mort.

Quelques furieux iront, donnant des coups de baïonnettes dans les voiles. Mais parce que six voiles sont crevées [six journaux suspendus], la tempête n'est pas vaincue.

La sombre bannière claque toujours au sommet du grand mât et des nuages rouges pèsent sur l'horizon.

[...] Silence ?... Nous parlerons jusqu'à la fin. Mais si nous succombons à la tâche, le péril sera encore debout et notre espérance toujours vivante ! Vous ne ferez pas taire le vent, et vous n'aveuglerez pas notre étoile (*Le Drapeau*, 19.3.71).

Le 26 mars

Quelle journée !

Ce soleil tiède et clair qui dore la gueule des canons, cette odeur de bouquets, le frisson des drapeaux ! le murmure de cette Révolution qui passe tranquille et belle comme une rivière bleue, ces tressaillements, ces lueurs, ces fanfares de cuivre, ces reflets de bronze, ces flambées d'espoir, ce parfum d'honneur, il y a de quoi griser d'orgueil et de joie l'armée victorieuse des Républicains !

O grand Paris !

Lâches que nous étions, nous parlions déjà de te quitter et de nous éloigner de tes faubourgs qu'on croyait morts !

J'ai eu l'honneur insigne d'assister à l'ouverture de la Commune et de suivre ses solennels débats.

Il y a eu des cris de conviction farouche, — deux ou trois — comme des cris de corneille ou d'aigle sur un champ de bataille. Il y a eu des frémissements, comme ceux des arbres et des feuilles que crispe une tempête !

Il faut choisir

Le drapeau blanc contre le drapeau rouge: le vieux monde contre le nouveau !

(Ces fragments sont extraits de Jules Vallès, *Le Cri du Peuple*, préface et notes de Lucien Scheler, Ed. revue et corrigée, les Editeurs français réunis, 1970).

* * *

« Ne soulignez ni du crayon, ni — trop — de la pensée »: cette prière de Rimbaud à son correspondant Izambard nous invite à ne pas jouer aux censeurs-pédagogues traditionnels et, surtout, à nous abandonner au jeu, à accepter le tableau pour lui-même, en lui-même.

Texte difficilement pénétrable, certes, mais l'avertissement final —« ça ne veut pas rien dire » — est à prendre au sérieux: ce poème a un sens ! Le texte nous est parvenu sous trois formes, qu'il convient, à mes yeux, d'examiner comme un ensemble où certains éléments se superposent, se complètent, s'interchangent, sans qu'il soit nécessaire ou utile de donner la préférence à l'une des trois versions: pas plus que pour la correction marginale du *Chant de guerre parisien*, Rimbaud n'éprouve le besoin de raturer, d'améliorer, mais fait plutôt jouer entre eux ses textes, repris périodiquement. Tout au plus, pourrait-on faire des réserves sur la copie de Verlaine, qui n'apporte guère d'éléments nouveaux. Voyons d'abord les trois versions:

1. *Le Cœur supplicié* (lettre I, 13 mai 1871);

2. *Le Cœur du pitre* (lettre à Demeny, 10 juin 1871);

3. *Le Cœur volé* (copie de Verlaine, octobre 1871);

Entre les deux premières versions, une correction, v. 6: *lance* est remplacé par *pousse*, sans doute pour éviter la répétition avec *lancent* du vers 3.

Le titre, dans la copie de Verlaine, n'est plus que la reprise des deux derniers mots du poème. Au vers 19, *refrains* cède la place à *hoquets* (et non *hochets*, coquille de l'édition de la Pléiade, p. 891), terme qui, même s'il correspond à la ligne générale de la dérision (on le retrouve dans *Accroupissements*), fait disparaître la référence à la musique — une musique particulière! — correspondant à *quolibets* et *insultes* des deux premières strophes. *Insultes* disparaît de la strophe II, remplacé par *quolibets*, déjà utilisé dans la strophe I: une certaine unité phonique s'installe alors avec la chaîne *quolibets-quolibets-hoquets*, en contraste avec la première — soucieuse davantage du champ sémantique que de la sonorité — *quolibets* — *insultes* — *refrains*.

Le vers 11 (*Au gouvernail* pour *A la vesprée*) supprime la seule notation temporelle du poème et introduit un terme lié à *poupe* du début et à *flots* de la suite. A la rime du vers 14, *lavé* (qui remplace *sauvé*) offre une sonorité plus suggestive par rapport à *ravalé* et à *dépravé*, et même à *volé* et *ravalé* de la dernière strophe: si l'on ajoute le *bave* du début, on voit se nouer une chaîne, que reprend le *bave* — *lave* de *Mes petites amoureuses*. Le jeu de renversement *dépravé* — *vesprée* se retrouve (à un autre niveau) dans *triste cœur* — *cœur triste* pour les deux premières versions, effet qui disparaît dans la troisième, non seulement corrigée par *Au gouvernail*, mais aussi par *Moi, si mon cœur* (vers 22, à la place de *Si mon cœur triste*).

On voit, en définitive, que les différents changements ne sont pas de détail, mais témoignent que Rimbaud a relu vraiment ses textes; à cet égard, on peut penser que même la correction *lance → pousse* intervient moins — comme je le suggérais d'abord — pour éviter la répétition avec *lancent* (le parallélisme *Ils lancent des jets de soupe — la troupe lance un rire* redouble le mouvement d'agression contre le narrateur) que parce que *pousse* assure une construction phonique plus forte: après la rime *soupe — poupe* (v. 3 et 4), voici le vers 5 encadré par

> *S*ous tr*oupe*

et repris, vers 6, avec l'inversion:

> Qui *pous*se

puis conclu sur la répétition *poupe*, rime du vers 7.

La lettre à Demeny offre le commentaire suivant:

voici, — ne vous fâchez pas, — un motif à dessins drôles: c'est une antithèse aux douces vignettes pérennelles où batifolent les cupidons, où s'essorent les cœurs panachés de flammes, fleurs vertes, oiseaux mouillés, promontoires de Leucade, etc... — Ces triolets, eux aussi, au reste, iront

> Où les vignettes pérennelles,
> Où les doux vers.
>
> Voici: — ne vous fâchez pas —
> *Le cœur du pitre*

Le commentaire d'Adam (Pléiade, p. 889) est péremptoire (il ne fait d'ailleurs que reprendre les suggestions des éditeurs précédents, Mouquet et Renéville):

Ce qui ne peut avoir qu'un sens. Rimbaud a naguère composé une pièce formée d'images plaisantes et volontairement un peu fades. Maintenant il vient de s'amuser à écrire *Le Cœur du pitre* comme antithèse.

Essayons pourtant d'un autre déchiffrement.

Les *Bribes* offrent, on s'en souvient, le vers

> *Oh! les vignettes pérennelles!*

que Paul Labarrière se souvenait avoir lu au début d'un poème « où il était question d'oies et de canards barbotant dans une mare » (Pléiade, p. 1060).

Si l'on note le double « ne vous fâchez pas », d'une part, et, d'autre part, le fait que le poème perdu n'était pas fondé sur des images fades, mais qu'il les évoquait sans doute ironiquement (« Oh !... »), ne doit-on pas comprendre que l'antithèse concerne des textes écrits par des poètes « subjectifs » du type Demeny? A celui-ci d'accepter l'idée que triolets satiriques aussi bien que poèmes conventionnels iront bien vite à l'oubli...

Les rapports de ce texte avec l'actualité n'apparaissent guère que dans l'évocation, très générale, d'une *troupe* à laquelle est affronté le narrateur. Soldats, matelots, voire bourgeois de Charleville? *A la poupe* peut fort bien, au sens figuré, signifier *à l'arrière*, à l'écart du groupe, qui sera lui-même vu (troisième version) *Au gouvernail* [21] — ou *A la vesprée* — comme le rassemblement de silhouettes priapiques.

Caporal, jets de soupe, pioupiesques, refrains bachiques, chiques: autant de notations pour caractériser le groupe anonyme (*Ils*, vers 3, 11, 17, 20, 23) responsable de l'écœurement qu'éprouve le narrateur, et qui se situe davantage sur le plan bas de la soldatesque que sur celui d'une bourgeoisie conformiste à laquelle ne se heurte guère le poète, s'il la décrit — de loin — de manière sarcastique.

Situation générale, donc, qui pourrait, mais comme à tout autre événement analogue, s'appliquer à des journées vécues à Paris en 71 par un individu au milieu de soldats (de la Commune?). Cela dit sans aucun souci de biographie: pourquoi aurait-il fallu que Rimbaud ait réellement passé quelques heures dans une caserne sordide pour composer cette fantaisie?

Le vers 3

Ils y lancent des jets de soupe

se lie au vers 2

Mon cœur est plein de caporal

c'est-à-dire que les hommes qui chiquent ont craché leur salive, — et, en somme, l'évocation convient, sur le plan rhétorique, à des marins, pour entraîner alors, métaphoriquement, *gouvernail* et *flots*. Ainsi, Tristan Corbière évoque-t-il des marins anglais en bordée et

leur jet de jus de chique (Les Amours jaunes)

L'unité de la strophe est donc bien assurée, fondée sur l'écœurement et les vomissements, alors que le mot *cœur* indique le caractère métaphorique du titre et se voit dévié de son sens lyrique, familier aux « vignettes pérennelles ». Point besoin, donc, d'évoquer le provincial et

---

[21] « C'est dans le troisième état que Rimbaud imagine des fresques sur un gouvernail, ce qui, sans doute, n'est pas facile à se représenter. L'explication échappe », commente Adam (Pléiade, p. 891). Mais n'est-ce pas *évident*? *Au gouvernail*, c'est *naturellement* l'équivalent de *à la barre*... bref, *ça n'a qu'un sens*!

naïf Rimbaud partageant la soupe des Communards ivrognes et grossiers...

La forme répétitive est plus manifeste ici que dans les poèmes suivants; elle suffit — accentuée par la question finale, ouverte sur un futur — à faire de la peinture de l'ensemble l'évocation d'un conflit perpétuel entre le narrateur et le groupe auquel il s'est heurté.

La dérision et la révolte contre les attitudes anciennes — et l'antithèse contre la poésie fade des anciens le dit — ne sauraient se comprendre sans une revendication, un espoir de trouver du *nouveau*, si bien que le schéma général du poème s'applique également à la situation — de crise, de rejet de l'ancien, de recherche vers l'avenir — du poète en conflit avec la société, et, plus précisément encore, avec les poètes qui la représentent.

Les trois titres exigent un commentaire précis, qui montre, d'une part, la complémentarité entre eux et leurs rapports, d'autre part, avec les poèmes de la lettre II du 15 mai 71. Ici encore, c'est la relecture sous divers angles qui met en évidence, tour à tour et pour les superposer, des éléments réunis dès la première version, puisque, à chaque fois, un des mots-clés de ce texte et de la démarche poétique d'ensemble subsiste: *cœur*. C'est, en effet, l'étiquette même de la poésie à laquelle entend s'opposer Rimbaud, l'image symbolique qu'il entreprend aussitôt de dévaloriser pour répondre à l'agression dont il se juge victime.

Le personnage: *pitre*, «dans le langage populaire, aide, serviteur d'escamoteur ou de saltimbanque, fig. bouffon» (Littré); il est bien de la classe des laiderons, du séminariste amoureux de Thimothina Labinette dans *Un Cœur sous une soutane*, dont la première page utilise tout l'appareil langagier des poèmes que nous examinons ici: caricature, langage à sens ambigu, érotique, vocabulaire du bas et du physiologique, personnages semblables à celui de frère Milotus et des laiderons de *Mes Petites Amoureuses*. Ce sera aussi le ton de *Ce qu'on dit au poète à propos de fleurs*, où le poète pris à parti — farceur, jongleur — est invité par Alcide Bava à pervertir thèmes et langage du lyrisme traditionnel. Alcide Bava, c'est-à-dire l'Hercule nettoyant les écuries d'Augias, — mais sur le mode persifleur de l'antithèse: l'acide et la bave! Arrêtons-nous, pour en montrer le mécanisme, à ce texte de prose, *Un Cœur sous une soutane*, vite expédié par les docteurs du sérieux et de la haute poésie: «Ce texte est une gaminerie» (S. Bernard); «Il serait peu sage de se scandaliser de cette œuvre de Rimbaud. Ce n'est visiblement qu'une plaisanterie. Elle marque à coup sûr chez son auteur peu de respect pour le clergé. Mais nous savions que le respect n'était pas son fort » (A. Adam).

La première page de ce journal attribué à un jeune séminariste joue sur l'ambiguïté du langage utilisé par un naïf (ou qui se fait passer pour tel): l'euphémisme mensonger d'abord — *cœur* pour *estomac* ou *vit* — inspiré par les conventions poétiques de son éducation:

[...] je puis rappeler la passion, maintenant refroidie et dormant sous la soutane, qui, l'an passé, fit battre mon cœur de jeune homme sous ma capote de séminariste !...

Suit une évocation des bourgeonnements printaniers superposable à *Mes Petites Amoureuses*, au *Chant de guerre* et à *Accroupissements*:

Voici le printemps. Le plant de vigne de l'abbé *** bourgeonne dans son pot de terre: l'arbre de la cour a de petites pousses tendres comme des gouttes vertes sur ses branches; l'autre jour, en sortant de l'étude, j'ai vu à la fenêtre du second quelque chose comme le champignon nasal du sup ***.

Point n'est besoin d'une analyse freudienne pour interpréter ce tableau. La suite va réunir les conventions spiritualistes et poétiques (ange Gabriel; ailes de mon cœur; ma lyre; ma cithare; célestes altitudes) à l'écœurement visuel, olfactif, sous le signe de l'ambivalence. Le nez du supérieur? « semblable à une batte [il] était mû par son branle habituel »...

Le séminariste va mener de ridicules amours dans la cuisine de Césarin Labinette, dont la fille, Thimothine, prépare le repas: « une odeur céleste de soupe aux choux et de haricots » s'élève...

Les bandeaux plats et clairs de tes cheveux se collaient pudiquement sur ton front jaune comme le soleil.

Moustache et poils au menton du laideron boîteux jettent le séminariste dans l'extase.

Je cherchai vainement tes seins; tu n'en as pas: tu dédaignes ces ornements mondains, ton cœur et tes seins !... Quand tu te retournas pour frapper de ton pied large ton chat doré, je vis tes omoplates saillir et soulevant ta robe, et je fus percé d'amour, devant le tortillement gracieux des deux arcs prononcés de tes reins !...

Quelle pâture, encore, pour une lecture ambivalente que la scène suivante !

Plusieurs fois, je lui dis Madame, au lieu de Mademoiselle, dans mon trouble ! Peu à peu, aux accents magiques de sa voix, je me sentais succomber; enfin je résolus de m'abandonner, de lâcher tout; et, à je ne sais plus quelle question qu'elle m'adressa, je me renversai en arrière sur ma chaise, je mis une main sur mon cœur, de l'autre, je saisis dans ma poche un chapelet dont je laissai passer la croix blanche, et, un œil vers Thimothine, l'autre au ciel, je répondis douloureusement et tendrement, comme un cerf à une biche: « Oh ! oui ! Mademoiselle... Thimothina ! ! ! ! »

Scène d'éjaculation (mystique !) qui se complète de manière explicite: d'un jambon pendu au plafond, une goutte de saumure tombe dans l'œil extasié du séminariste, qui s'aperçoit alors qu'il tient dans sa main gauche « au lieu d'un chapelet, un biberon brun »...

C'est à *Mes Petites Amoureuses* que s'accorde ce portrait:

Je m'étais peigné mes quelques cheveux modestes, et, usant d'une odorante pommade rose, je les avais collés sur mon front, comme les bandeaux de Thimothina.

Un couplet du poème que le narrateur destine à sa bien-aimée mérite aussi attention:

« *La Brise* »
Jésus ! Joseph ! Jésus ! Marie !
C'est comme une aile de condor
Assoupissant celui qui prie !
Ça nous pénètre et nous endort !

La fin du poème — ajoute le narrateur — est « trop intérieure et trop suave: je la conserve dans le tabernacle de mon cœur ».

Pitre conscient de son jeu, le poète-voyant va procéder à un *échange*: comme on lui a — dans la poésie subjective qu'il a lue puis imitée — proposé une peinture fausse, hypocrite, il va, à travers *Le Cœur supplicié* et les poèmes suivants, assumer par défi ce rôle de bonimenteur; ainsi, on peut entendre, ici déjà, les vers du *Chant de guerre*:

Et décidément, il nous faut
Vous secouer dans votre rôle

Le cœur *triste, ravalé, volé,* c'est-à-dire jeté bas, abject et dupé donne une première définition, répétée dans les autres textes, de l'entreprise anti-lyrique, réponse aux poètes faussaires et voleurs.

La contradiction qui embarrasse implicitement le commentaire de l'édition de la Pléiade à propos de *Ce qu'on dit au poète...* me paraît se lever: A. Adam — contre de « nombreux commentateurs » et s'appuyant sur une démonstration de Ruff — admet d'abord que c'est un « vil bourgeois » qui conseille au poète de faire une poésie utile, conforme au monde moderne; puis il pense qu'à certains moments, « ce n'est plus tout à fait le bourgeois moderne, c'est Rimbaud qui se moque » (Pléiade, p. 906 et suivantes).

En réalité, le discours du pitre (du jongleur, du farceur) — qu'il s'adresse à Demeny, à Izambard ou à Banville — est l'expression de l'auteur-créateur qui s'est dégagé du groupe des exécutants inconscients [22] et qui, jugeant deux moments de la poésie, entreprend de détruire *par l'intérieur*, par l'utilisation nouvelle de leur langage, les productions de ses maîtres, tout en éprouvant, sans dogmatisme, mais dans la fièvre lucide de sa recherche personnelle en cours, qu'il doit, lui aussi, subir, en ses propres textes, les mêmes avatars, avant de maîtriser la pratique et l'expression de la voyance.

Le *centre* du poème (vers 13-14) se distingue du reste par la forme invocatoire:

> *O flots...*

et met en scène un troisième personnage, à qui le narrateur en appelle pour qu'il l'aide dans le conflit *troupe / individu*. On doit se poser la question suivante: ce personnage est-il un adjuvant destiné à faire retrouver l'état antérieur à l'écœurement ou ne pourrait-il, au contraire, et sans cesser de tenir le rôle d'adjuvant dans la quête du poète, aider celui-ci à accentuer l'état dans lequel il se trouve?

On remarquera d'abord que le narrateur est actif dans le texte de double manière: il s'analyse en un récit dont le sujet est *mon cœur* et, dans la dernière strophe, il se met en scène en dialoguant avec celui-ci:

> *Comment agir, ô cœur volé?*

---

[22] Dans *Un Cœur sous une soutane*, le discours ridicule du séminariste esquisse l'idée que le personnage feint la naïveté; ainsi, interrogé par le supérieur sur l'« écartement des jambes », le narrateur, quittant la forme du journal intime, s'exclame: « Tenez, j'aime mieux vous dire que ce fut dégoûtant, moi qui sais ce que cela veut dire, ces scènes-là !... [...] — et je venais dans cette chambre, me f... sous la main de ce gros !... Oh ! le séminaire !... » Le discours donne alors l'impression d'être à la fois victime et utilisateur de toute la mystification spiritualiste touchant le sexe.

La supplication à l'adresse de ces flots — mise en évidence par la place et par la forme — détermine le rôle que souhaite le narrateur; les choses seraient simples, si nous nous trouvions dans un contexte traditionnel: /bavant, dépravé, souillé/ entraînerait, par réaction, /sauvé, lavé, purifié/. C'est bien ce qu'entend l'éditeur de la Pléiade, représentatif d'un courant critique dominant; il commente « abracadabrantesques » de la sorte:

Mme Suzanne Briet a signalé un menu fait de l'enfance de Rimbaud, d'où il ressort qu'il voyait dans le triangle magique *abracadabra* un moyen de « préserver de la fièvre ». Le mot aurait donc été lié dans son esprit à l'idée d'un pouvoir de guérison (p. 891).

D'où cette interprétation, proposée plus haut (p. 890):

Toute cette corruption a pénétré en lui. Il a besoin d'être lavé. Les flots de la mer sont pour lui l'image de la pureté retrouvée.

Mais comment justifier, d'abord, le passage de l'adjectif au substantif? Or, tout le reste découle de cette curieuse démarche: le premier, formé sur « abracadabrant », « qui jette dans la confusion d'esprit, comme l'abracadabra de la cabale » (Littré), dévalorise *flots*, qui, en aucun endroit du texte, ne désigne ni la mer, ni ses pouvoirs purificateurs, phantasme idéologique, conventionnel, cher à tant de critiques et venu, sans doute, en écho d'*Alchimie du verbe*, contexte absolument étranger aux poèmes des lettres de 1871.

Abracadabra: « mot auquel on attribue des vertus magiques », dit Littré, qui cite Paré: « mettre ce beau mot en une certaine figure qu'escrit Serenus pour guarir de la fiebvre ».

De cela, il ressort que:

1. Le substantif peut désigner (voyez les sorcières de Hugo, citées elles aussi par Littré) une opération faste ou néfaste;

2. L'adjectif a pris une connotation néfaste, conservée dans la langue courante;

3. De là, *sauvé* et *lavé* peuvent se prendre dans un sens d'ironie, de sarcasme, qui correspond à l'ensemble du poème et permettra d'expliquer la finale temporelle et la question qui en découle:

> *Quand ils auront tari leurs chiques,*
> *Comment agir, ô cœur volé ?*

4. D'un point de vue de méthodologie générale — qui justifie les points précédents —, l'exégèse sera valide dans la mesure où:

a) elle tient compte du plan choisi par le créateur (ici, *lyrisme/anti-lyrisme*);

b) elle s'applique à des analyses valables non pour des détails isolés, mais pour l'ensemble du texte, dans ses parallélismes, ses répétitions et ses renversements, le critère suivi étant qu'une marque linguistique — syntaxe, lexique, rhétorique de la place, des images, de la ponctuation — n'acquiert de signification que si on la repère dans le texte, au minimum, à un autre niveau, et reprise selon un ou plusieurs schémas équivalents. Ainsi évitera-t-on ces paraphrases, ces « traductions » réductrices où ne se manifeste aucun souci de la cohérence du texte poétique ni du respect de son idéologie, du type « il a besoin d'être lavé. Les flots de la mer, etc » ou « un hydrolat lacrymal lave: tout bonnement la pluie » (je reviendrai là-dessus à propos de *Mes Petites Amoureuses*).

Ainsi, par exemple, la liaison *Quand ils → Comment* s'accentue par la sonorité:

*Q*uand... *tari*   —   *C*ommen*t agir*

si bien que le lien paraît de cause à effet entre deux moments: l'absence de jus empêchera le poète de poursuivre sa production baveuse, privé qu'il sera d'aliment écœurant.

Revenons donc à ces *flots* (particuliers !):

Les *jets de soupe* (vers 3) remplissent (ou couvrent) le cœur, c'est-à-dire provoquent l'écœurement, la bave, la production physiologique... Et si l'on inscrit le poème dans le contexte de 1871, le souhait du narrateur ne saurait être d'être lavé-sauvé d'une souillure, mais d'être submergé, rempli, emporté par un liquide représentatif de la déchéance, de la bassesse, du dérèglement propres à son expérience du moment. C'est en abandonnant les clichés et une vision rationaliste de la poésie qu'on peut lire vraiment ces textes. Ainsi encore, quand Adam dit, pour *Ithyphalliques*, « obscène. Le phallus est dressé », le *point de vue* ici adopté laisse pantois, d'autant plus que le terme renvoie à une amulette ancienne où le phallus dressé n'est pas obscène, mais connote le religieux... [23]

Dans les deux premières versions, vers 11-12:

> *A la vesprée, ils font des fresques*
> *Ithyphalliques et pioupiesques*

constitue une reprise de *Jets de soupe* et conjoint les domaines physiologique, alimentaire et sexuel avec une chaîne du type /projeter du jus de tabac — de la soupe — du sperme/, activités propres aux marins ou aux soldats en bordée, assimilables aux poètes en orgie (le tabac, les filles, le vin: la boisson vient en fin de texte, *refrains bachiques*), l'ensemble étant évoqué comme une activité, dérisoire, de création artistique: ainsi se retourne — à l'insu de ses auteurs! — la poésie des vignettes pérennelles et des cupidons batifolants.

Le vin provoque à son tour une activité artistique (toujours sur le mode dérisoire): des refrains bachiques. Ainsi, encore, la conclusion s'allie avec le centre du poème; c'est la prochaine étape que le narrateur envisage, pitre qui dégage le sens profond — écœurement, vomissures — de l'activité de ses adversaires et qui devra

a) renoncer à cette forme d'anti-lyrisme

ou, au contraire,

b) montrer qu'il a déjà trouvé réponse nouvelle, selon qu'on examine les deux premières versions ou la dernière:

a) Ce seront des refrains bachiques [étape suivante du groupe]

en opposition à

J'aurai des sursauts stomachiques [le *je*, encore à l'étape précédente];

b) Ce seront des hoquets bachiques

en accord avec

J'aurai des sursauts stomachiques

---

[23] Hypothèse en marge: dans le commentaire à Demeny, Rimbaud ironise sur les « promontoires de Leucade » qui, aux côtés des cupidons, encombrent le poésie qu'il combat; or, les triolets du *Cœur volé* pourraient se référer à ces vers anciens, dits « ithyphalliques » (« composés de trois trochées ») et s'opposer aux strophes saphiques (Leucade).

où disparaît alors l'échange *jets de soupe* — *cœur* (ce qui, à mes yeux, accentue les réserves qu'on peut faire sur la qualité de la version proposée par Verlaine).

MES PETITES AMOUREUSES

Un dialogue en douze strophes s'instaure dès le titre du poème, puisque l'adjectif possessif y annonce un *je* narrateur et un *groupe* de femmes, à qui ou de qui le narrateur va parler.

L'ensemble est, en effet, construit sur des rapports *je* — *mes laiderons* et *je* — [*adjectif de couleur*] + *laideron*, soit:

bleu (strophe III); *blond* (IV); *noir* (V); *roux* (VI).

A quoi s'ajoute:

vert-chou (I); *Blancs* (II).

On peut déjà tirer quelques conclusions à partir de ces notations de couleur: les six premières strophes contiennent chacune une couleur, tandis que les six dernières n'en offrent aucune, la reprise finale (XII) de la strophe II étant modifiée précisément sur ce point, *Blancs de lune* devenant *Sous les lunes*.

Les strophes III à VII concernent *laideron*, tandis que I et II donnent la couleur des cieux (I) et utilisent *Blancs* comme métaphore (II).

Les strophes II à IV se lient phoniquement: Blanc-Bleu-Blond. Il n'est pas évident que les quatre teintes appliquées à *laideron* désignent les cheveux: a) *bleu* n'est pas utilisé de façon réaliste, et, en tout cas, étonne ici, même si l'on peut invoquer un baudelairien « cheveux bleus » ou le vers de *Soleil et chair*, *La Dryade aux cheveux bleus*; b) *blond*, par ailleurs, n'est pas utilisé par Rimbaud systématiquement par rapport à *cheveux*: au conventionnel *pain blond* on ajoutera, plus aberrantes et non réalistes (à la manière de *sommeil bleu* des *Premières Communions*) les formules *ovaires blonds* et *yeux blonds* du *Bateau ivre*.

En une première conclusion générale, on peut donc dire que c'est davantage le *système* qui compte que l'emploi descriptif des adjectifs de couleurs. Système, dans l'opposition conventionnelle *noir/blanc* ou le complément *vert-rouge*; système, la succession — déjà notée — *rouge-vert-bleu* (*Voyelles*) ou, inversée, *bleu-vert-rouge* (*Le Dormeur du val*); système, enfin, la succession sonore de BL.

Il s'agit donc de situer ces *amoureuses-laiderons-amours*, placées dans le titre et les refrains, par rapport à l'espace cosmique que nous propose le texte dès la première strophe. Dégager la situation de ces « personnages » devrait en effet permettre d'élucider leur identité poétique : je veux dire par là que, tout comme l'usage des couleurs, celui des substantifs ne désigne pas forcément des filles que le poète aima et qu'il fustige rageusement aujourd'hui, selon le schéma reçu du Rimbaud misogyne, insulteur du corps féminin. Et si c'était des femmes *et* la figure d'autre chose ?

Ou encore, pour préciser les lignes de recherches, si ces « personnages » humains de sexe féminin (seins — tétons — ballerines suffisent à le dire) étaient mythologiquement métamorphosés, rhétoriquement détournés de leur sens immédiat, *dans l'espace de ce texte* ?

Autrement dit, ce sont les rapports entre le poème et la réalité qu'il faut examiner, en abandonnant le point de vue traditionnel. Ainsi lorsque S. Bernard, à propos du vers 2

> *Les cieux vert-chou*

écrit : « on s'attendrait plutôt qu'un ciel pluvieux fût gris, ou noir » (Garnier, p. 392), ou que le vers 1

> *Un hydrolat lacrymal lave*

désigne la pluie « tout simplement » (Forestier, p. 250) ou « tout bonnement » (Adam, p. 883, repris de S. Bernard, p. 391), en face de ces traductions en bonne et cartésienne prose, il faut inlassablement répéter les propos d'André Breton :

> Il s'est trouvé quelqu'un d'assez malhonnête pour dresser un jour, dans une notice d'anthologie, la table de quelques-unes des images que nous présente l'œuvre d'un des plus grands poètes vivants ; on y lisait :
> *Lendemain de chenille en tenue de bal* veut dire : papillon.
> *Mamelle de cristal* veut dire : une carafe, etc.
> Non, Monsieur, *ne veut pas dire*. Rentrez votre papillon dans votre carafe. Ce que Saint-Pol-Roux a voulu dire, soyez certain qu'il l'a dit. (*Point du jour*, p. 27) [24].

[24] H. Bouillane de Lacoste, le plus attentif des éditeurs de Rimbaud, s'est montré, lui aussi, fermé à des textes qu'il juge « déplaisants ou ahurissants » ; Voir les commentaires de Breton dans *La Chasse spirituelle*.

Les cieux sont gris (ou noirs); il pleut: voilà ce que *veut* dire la strophe I... Si la marquise songe à sortir à cinq heures, qu'elle se munisse d'un parapluie !

Bref: fidèle aux notions chères à Charles Fourier — le *doute* et l'*écart* par rapport aux idées toutes faites — reprenons le problème sous un autre angle.

Le vers 1 joue de manière frappante sur la syllabe LA:

Un hydroLAt LAcrymAL LAve

comme d'un bégaiement, d'un retournement et d'une reprise qui, au total, construisent un vers fortement dissonant. La même syllabe se répète au vers 3 (L'Arbre) et, strophe suivante, dans le mystérieux mot *piALAts*[25].

Un bégaiement analogue scande l'avant-dernière strophe:

CombLEZ LES coins !

Dissonances encore, que ces formules (liaison faite ou hiatus):

III, 1 aimions à
     3 des œufs à
IV, 3 Descends ici

Un jeu de mots en V, 3:

MA MANdoline

Des répétitions en V, 3 et V, 4:

Ma Mandoline
Au Fil du Front

Le vers 3 de la strophe VI s'énonce très difficilement:

Inf*ectent encor*

Comment, enfin, ne pas se heurter, à l'avant-dernière strophe, à l'accumulation des A:

Fade amas?

Bref, le système phonique de ce texte me paraît en nombre d'endroits fondé sur le bégaiement, la dissonance, le refus agressif de l'harmonie,

---

[25] Deux occurrences dans les *Tables* du TLF: celles de notre poème.

accentués par des interjections *(Pouah ! Hop donc !)*, des termes comme *pialats* et *fouffes*, qui ajoutent l'incertitude du sens à la sonorité répétitive, cependant que tout un lexique, lui aussi agressif, est emprunté au dégoût, au visqueux, au technique, au prosaïque (en dresser la liste revient à relever les substantifs importants de chaque strophe). C'est un *mime* que les deux premiers vers offrent comme le programme, la démonstration d'une révolte sarcastique contre la convention du langage poétique, — illustration ironique du vers 1 de la strophe IV :

> *Un soir, tu me sacras poète*

En contre-épreuve, on le notera, Rimbaud se soucie, en certains endroits, et d'harmonie phonique et de précision ; à la strophe VI, un * hypothétique

> * Pouah ! ma salive desséchée

aurait accumulé les A comme aux endroits relevés plus haut ; mais le pluriel donne à *salives* une signification symbolique cohérente par rapport à l'ensemble du texte, cependant que le*s* tranchée*s* du sein accomplissent le renversement d'un réaliste *tranchée des seins. On remarquera enfin que le souci de faire rimer singulier avec singulier et pluriel avec pluriel n'habite par Rimbaud (strophe I, *vert-chou caout-choucs*), ce qui, par conséquent, n'expliquerait pas le pluriel *desséchées*.

Entreprise de remise en question générale, sous les espèces particulières d'une relation amoureuse : voilà l'itinéraire décrit, récit d'une quête aboutissant à la démolition, au renoncement — et qui concerne le travail poétique lui-même. Telle est mon hypothèse de travail ; dès lors, la ressemblance, en profondeur, avec le *Chant de guerre* éclate : située sur le plan individuel, la démarche tendrait ici, une fois de plus, à dénoncer le mensonge d'une rhétorique, à démasquer les véritables visages, à dégager une vérité nouvelle sous les décombres de la vieillerie poétique. A cet égard, lier le vers final de la strophe II : *Mes laiderons !* au premier de la strophe VII [26] fait découvrir le mouvement essentiel, double, de destruction et de réutilisation des corps rhétoriques du passé :

> *O mes petites amoureuses*
> *Que je vous hais !*

---

[26] C'est la strophe VII qui marque le début de la partie du poème dépourvue de toute notation de couleur et le retour au groupe « amoureuses-laiderons » après les invocations aux quatre types de laiderons.

Ce n'est pas, en effet, dans cette paradoxale liaison d'un titre qui annonce le lyrisme amoureux, le catalogue des amours perdues et la déclaration d'un sentiment tout opposé, contre les héroïnes que le discoureur s'acharne, mais plutôt contre lui-même. L'invitation première

Entrechoquez vos genouillères

ne prend son sens que dans la litanie (VII à XII) des impératifs, qui exigent des amoureuses une sorte de danse du scalp d'où le narrateur sorte meurtri *et* transformé dans sa vision, dans ses sentiments, et — surtout — dans son écriture.

L'association (strophe X) des rimes *rimé-aimé* est à cet égard hautement significative pour l'ensemble du poème. *Rimé-aimé*: une seule lettre change ! et le schéma se répète, qui apparaissait dans une première évocation, au passé elle aussi, dans le début:

> III   nous nous aimions.
> IV   Un soir, tu me sacras poète

L'espace et le temps sont à plusieurs reprises convoqués dans le poème de manière précise et qui réclame attention:

> IV   Descends ici
> VIII   — Hop donc ! Soyez-moi ballerines
>   Pour un moment !...

Ici et *moment* appartiennent au texte et non à la réalité; ils s'opposent l'un et l'autre au passé refusé

> IV, 1   *Un soir*, tu ...
> VIII, 1   Piétinez mes *vieilles* terrines

et la strophe IX assure la description dans le nouveau présent du texte, danse macabre qui donne le rythme et le sens de la ronde des ballerines:

> *Vos omoplates se déboîtent,*
> *O mes amours !*
> *Un [sic] étoile à vos reins qui boitent,*
> *Tournez vos tours !*

Etoile aux reins: c'est ici qu'il faut préciser les dimensions, les lignes constitutives de l'espace imaginaire du poème.

Le *début* et la *fin* du texte ont toutes chances, nous l'avons déjà observé dans les poèmes précédents, de nous livrer des éclaircissements précieux.

Dans la strophe I, le mouvement vertical à travers le ciel (1-2) se répète sur le plan terrestre (naturel et humain) aux vers 3 et 4 et dans la liaison avec la strophe II. On notera d'abord de grands problèmes de syntaxe et de lexique, posés par les deux premières strophes, *Caoutchoucs, pialats ronds, blancs de lunes particulières*: autant d'expressions impénétrables ou de sens très hypothétique. D'autre part, l'absence de ponctuation à la fin de la strophe I complique la situation: nous sommes au seul endroit du texte où deux strophes se lient en une seule phrase. Si l'on se réfère à la dernière strophe, peut-on admettre que *Sous l'arbre* soit devenu *Sous les lunes* et, autrement dit, que *Blancs de lunes* joue le rôle d'apposition à *caoutchoucs*, l'ensemble *Vos caoutchoucs... ronds* étant lui-même une proposition subordonnée devant laquelle il conviendrait de sous-entendre un *avec* (au sens de *chaussées* ou *vêtues de*)? Une donnée claire, en tout cas, relie début et fin: de manière répétée, la relation *haut → bas* est proposée: a) sur le plan cosmique, l'hydrolat lave les cieux; l'arbre bave et b) sur le plan humain, les petites amoureuses sont sous l'arbre et sous les lunes.

Comme les aubes du *Chant de guerre*, les lunes sont ici *particulières*. Il convient, ici, de s'exprimer clairement sur l'érotisme des vers 3 à 8; M. Forestier, résumant d'autres avis, estime, pudique: «il n'est pas impossible que les vers 3 à 8 aient un sens érotique». Mais encore? Cet *arbre tendronnier* — bourgeonnant au printemps? — qui bave et ces caoutchoucs: vit [27], sperme, capotes anglaises (les petits paletots évoqués par Balzac?)...? incohérence, pourtant, que ces caoutchoucs qui concernent des personnages féminins... On voit bien, par ailleurs, que la suite finit par proposer une chaîne de significations, solide, elle, sur le thème du visqueux et du dégoût, sans abolir le sens érotique du texte:

œufs à la coque — dégueulé ta bandoline — les salives desséchées

où ce dernier pluriel dit assez explicitement qu'il y a plusieurs espèces de salives entre ces seins, tandis que le terme *bandoline* présente l'avan-

---

[27] L'arbre figure dans la longue liste des synonymes offerte par le *Manuel d'érotologie classique* de Forberg; voir aussi le début d'*Un Cœur sous une soutane*.

tage de désigner un liquide visqueux tout en évoquant l'activité du sexe masculin et en fournissant une rime riche, si bien que *tabandoline/ mamandoline* constitue fort probablement un tableau érotique sur lequel il faudra aussi revenir.

Reprenons maintenant la syntaxe et la ponctuation du début. A partir de la strophe II, chaque couplet est fermé sur lui-même; le point-virgule de la strophe IV et l'absence de ponctuation à la strophe V (il manque un point ou un point d'exclamation) ne font, en réalité, pas d'entorse à cette règle générale. On remarque, enfin, que neuf des douze strophes se ferment très fortement sur le point d'exclamation.

Deux hypothèses apparaissent alors:

A. Une coupure est à ménager après *caoutchoucs*, terme qui est en proposition subordonnée en rapport avec *Sous l'arbre*;

B. On passe sans coupure de I à II: dès lors, *caoutchoucs* est développé par *Blancs de lune* en apposition, le tout répondant à *vos genouillères*.

M. Adam fait de *Blancs de lune* l'apposition de *genouillères* (qu'il assimile, par ailleurs, à genoux): genoux entrechoqués, blancs, marqués par le froid... Il faut, pour accepter cette interprétation, renoncer à toute structure syntaxique; remplacer arbitrairement *genouillères* par *genoux*; admettre que *pialat* vient de *se pialer* = peler de froid.

Au contraire, si — hypothèse B — *caoutchoucs* est mis en rapport avec *genouillères*, « manchons élastiques » (Littré), la caricature paraît cohérente: en haut et en bas, les laiderons s'affublent d'inesthétiques caoutchoucs, — aux seins et aux genoux. Une seule difficulté, donc, à résoudre, le terme *pialat*, ignoré de tous les dictionnaires. Tentons une hypothèse: la strophe VI est en rapport d'équivalence avec la strophe II: *l'arbre qui bave — pialats ronds* : : *mes salives desséchées — les tranchées de ton sein rond*. *Pialat* pourrait, par conséquent, être un terme argotique, provincial ou inventé par Rimbaud (connu de son destinataire?) qui désigne le sein. Un pis - à - lait ? ... D'autres calembours dans l'œuvre de Rimbaud autorisent à proposer celui-ci.

Cette relation entre *pialats ronds* et *sein rond* me paraît en tout cas préférable à celle établie par S. Bernard, qui emprunte *culs en rond* aux *Effarés*, dans la mesure où toute mise en rapport dans un même texte l'emporte sur les relations avec d'autres textes, fussent-ils du même auteur. L'hypothèse se consolide encore, à mon avis, puisqu'une autre expression équivalente apparaît à la strophe IX:

Un[e?] *étoile à vos reins qui boitent*

si bien que, dans les deux cas, un déplacement à sens satirique est proposé par le poète, qui fait choir lunes et étoile sur les seins et les fesses.

« Avoir le front dans les étoiles » signifie, pour Littré, « le comble de la gloire », tout comme, par ailleurs, « l'étoile au front » dit la marque du génie: ici, une étoile (ou *un* étoile, nous en reparlerons) sur le cul dirait fort bien l'inverse, la chute dans le dérisoire, le ridicule, mais un dérisoire qui, cultivé comme nous l'avons vu auparavant, pourrait prendre finalement un sens paradoxalement positif.

Le roman d'Antonine Maillet, *Les Cordes-de-Bois* (Grasset, 1977) dépeint la naissance d'un petit bâtard d'Acadie de la manière suivante:

Zélica tint le bébé par les pattes au-dessus de la cuve et annonça à tous les Mercenaires réunis:
— Elle a une étoile dans le derrière, la petite bougresse.
— Ah...
Il était donc arrivé, le prédestiné, l'enfant naissant avec l'étoile au derrière. Et c'était la Bessoune, fille de la Piroune et des vents du large et du ciel étoilé [...] Une étoile décrochée du firmament et tombée dans les haubans cette nuit-là, imprimée sur la fesse de la Bessoune, à sa naissance, la marquant de la chance et de son bonheur de vie.
— Une étoile dans le derrière, ça vaut le septième du septième du septième, qu'elle énonça, Zélica.

La romancière acadienne a bien voulu me confirmer qu'« en Acadie comme en pays catalan et peut-être ailleurs, l'expression « étoile au derrière » est valorisante et signifie « marqué par la chance ou les dieux ».

De manière inattendue, voilà donc confirmée l'hypothèse sur la possibilité d'une opposition *étoile au front* / *étoile au cul*, avec un sens final euphorique.

Voyons maintenant le schéma qui résulte de la corrélation entre les strophes VII et IX:

VII   Plaquez de fouffes douloureuses
          Vos tétons laids !

IX   Un[e?] étoile à vos reins qui boitent

Si l'on admet que *un* étoile est bien le terme voulu par Rimbaud et non une bévue de copie, l'expression *un étoilé*, emprunté à la chirurgie, désigne un bandage en croix; si *fouffes*, mot picard, désigne des vêtements usagés, des chiffons — « je ne sais où caser mes fouffes » propose en exemple le GLLF, tout en ne renvoyant qu'à Rimbaud — nous retrouvons, en effet, un mécanisme parallèle de la déchéance: des bouts d'étoffe sur les seins, un pansement — en forme d'étoile! — sur la croupe, boiteuses et bossues, *étoiles ratées*, quel corps de ballet que ces amoureuses!

Si *fouffes* signifie *gifles* [28] — mais les commentateurs qui proposent ce sens n'en donnent pas de référence — les laiderons s'appliquent des gifles, avant de s'attaquer à leur chantre (VIII, Piétinez mes vieilles terrines), et, du même coup, l'adjectif *douloureuses* se justifie, dans son sens habituel. Dans le même ordre d'idées, on remarquera l'analogie sonore *fouffes* et *je te fouette* (IV), verbe dont le premier sens, « cingler pour donner un mouvement; fouetter une toupie » (Littré) convient ici admirablement; de la sorte, une espèce de duel est décrite, des strophes IV à XI, échange de coups, invitation à se donner des coups:

> *Descendons ici, que je te fouette*
> *Tu couperais ma mandoline*
> *Plaquez de fouffes*
> *Piétinez*
>   *Soyez*-moi *ballerines* [cmqs]
> *Je voudrais vous casser les hanches*
> *Entrechoquez*

Ce dernier terme encadre — strophe II et strophe XII — l'échange d'agressivité, parodie sinistre d'un ballet véritable, lyrique, stellaire, élevé.

Résumons: les deux premiers quatrains forment un tout et la première partie du cadre, répétée, en clôture modifiée, à la dernière strophe. Ils posent le décor, les « personnages », indiquent le mouvement du texte, chute, dérision, dégoût, parodie d'une danse et donnent à l'ensemble une forme dialoguée, échange entre le narrateur et ses *objets* aimés-haïs.

Le lexique, par ses emprunts à des langages techniques et à des matières visqueuses (hydrolat, bave, caoutchoucs, genouillères) et l'aber-

---

[28] « *Fouffe* est un ardennisme désignant une bourrade ou une gifle » (Garnier, 392): « chiffon (parlers du Nord) [...] Certains comprennent *fouffe* au sens de gifle » (Forestier, 251).

rante couleur vert-chou des cieux visent à inscrire dans le langage lui-même l'intention satirique et destructrice des conventions poétiques suggérées par le titre, idyllique, *Mes Petites Amoureuses*.

Restent divers problèmes dans les strophes III, V, VIII, XI.

La bandoline (V): « eau visqueuse et aromatisée, qui servait à lisser les cheveux, et avait pour base le mucilage de coings » (Larousse).

Un schéma *manger/vomir*, sous le signe du dégoût, s'inscrit, lui aussi, à travers le texte, avec force et cohérence. Il répète, en somme, le mouvement *haut → bas, valeur → dévalorisation*, en l'enrichissant du mouvement *extérieur → intérieur* (manger) et de son inverse (baver, cracher, dégueuler):

III   On mangerait des œufs à la coque
      Et du mouron !

V   J'ai dégueulé

VI   mes salives desséchées

Sur un thème analogue, voici la strophe VIII:

    Piétinez mes vieilles terrines
    De sentiment

Terrines offre à la fois le sens de *plat* et de *nourriture* contenue en celui-ci, *pâté*, et s'accorde donc à *Piétinez*, qu'il s'agisse de fouler les anciennes floraisons, plates-bandes de sentiments amoureux ou les platées de nourritures, les unes et les autres aujourd'hui repoussées par le poète. Ainsi se clôt le schéma de nourriture ingurgitée, puis vomie ou détruite: œufs à la coque — mouron (« quand on le mâche, saveur douce puis amère; poison » (Larousse)) — bandoline — terrine. Revenant au début, on admettra dès lors mieux — sans doute — que l'hydrolat n'est pas *tout bonnement* la pluie, mais bien, sur le plan cosmique, l'équivalent de bandoline:

hydrolat: terme de pharmacie. Nom donné aux liquides incolores qu'on obtient en distillant de l'eau sur des fleurs odorantes ou sur d'autres substances aromatiques » (Littré).

Les deux liquides participent du thème de l'écœurement, du rejet, thème inscrit dans le texte même. De manière analogue, les cieux *vert-chou*, contribuent à la dévalorisation du thème lyrique, grâce à la référence la plus prosaïque qui soit et — avantage supplémentaire — fondée sur un légume aussi peu gastronomique, d'odeur et de saveur, que les mets de la strophe III: œufs à la coque et mouron...

Le vers 1 de la strophe XI

Fade amas d'étoiles ratées

conjoint, en formules saisissantes, les thèmes culinaire et cosmique, sur le mode de la chute, de l'échec, du dégoût. Des étoiles groupées, d'après Littré, sont des amas nébuleux: voilà donc, à la fois, la description technique d'un phénomène céleste et, sur le mode métaphorique, celle d'un corps de ballet dérisoire, grâce aux deux adjectifs qui encadrent le vers (et s'appliquent aussi à la cuisine!), grâce aussi à *étoiles* pris pour danseuses, actrices, *stars* (ignoré de Littré, daté de 1849 par Robert), tombées, elles aussi, pour rejoindre les lunes et l'étoile au cul. L'expression *lunes particulières* a, par conséquent, toutes les chances de désigner des fesses, en s'intégrant ainsi au schéma général.

La caricature s'affermit, investit tous les plans: l'hydrolat lave — l'arbre bave — l'homme dégueule, tandis que s'agitent les grotesques silhouettes (Omoplates — reins — éclanches qui se déboitent et boitent), dont un exemplaire est aussi décrit dans *Un Cœur sous une soutane*, prototype de la Muse particulière:

[...] tes omoplates saillant et soulevant ta robe [...] le tortillement gracieux des deux arcs prononcés de tes reins [...] ton tortillement inférieurement postérieur (Pléiade, p. 196 et 197).

C'est le lieu de reprendre l'examen de la formule *aimer-rimer*, qui fait de la femme une muse inspiratrice. Le pluriel « Amoureuses » qu'utilise Rimbaud ne signifie pas qu'il s'agisse d'un catalogue des amours passées, disions-nous plus haut. En effet, comme *Les Mains de Jeanne-Marie* propose des *types* de mains et, oubliant l'individualité, désignée par le titre, aussi bien que la notion de main, finit par décrire la Femme mythique, on peut ici percevoir les amoureuses comme les reflets successifs et dansants d'une seule effigie idéale, astre aux multiples rayonnements ou encore, sur le plan de la métaphore du spectacle, un *corps* de danseuses, à la fois un et multiple. Une telle interprétation présente l'avantage de renoncer aux références autobiographiques, au

couplet sur la misogynie de Rimbaud, pour insister, au contraire, sur
les intentions profondes du texte, offertes par une métaphore généralisée,
typique de toute une poésie à laquelle le voyant veut désormais échapper;
psaume d'actualité, le poème affirme, répète les déclarations de la
« lettre du voyant » et du *Chant de guerre*: une étape ancienne est présentée comme un bilan, qu'il faut dépasser, rejeter, vomir, pour aller
de l'avant, sur le plan de l'existence comme sur celui de la création.

L'échec, les efforts gaspillés dans la rhétorique ancienne amènent le
poète à construire un discours révolté et rageur, au bout duquel il
entend abandonner les images et les discours qui l'ont égaré trop longtemps. Balayées, les étoiles, réduites à l'état de ridicules squelettes,
abandonnées (strophe XI) à d'autres et à la tradition confite en dévotion,
elles apparaissent sous leur véritable aspect: démasquées, à la manière
des Versaillais. Dans cette avant-dernière strophe, on remarquera que
le poète voudrait « casser les hanches » à celles qui viennent d'être
décrites comme déjà infirmes (IX)... C'est qu'il s'agit bien de danseuses
et d'autre chose. « Il n'est pas impossible que cette pièce ne soit qu'un
jeu » (Pléiade, p. 888): mais quel texte littéraire n'est pas jeu? Viendront
d'autres « poètes » — mais non ces *horribles travailleurs* auxquels
Rimbaud va léguer ses propres trouvailles, à charge pour eux de les
enrichir — qui se perdront pourtant à cultiver l'ancienne rhétorique...

Du même coup, une autre difficulté me paraît levée (strophe V):
si les amoureuses incarnent le corps même de la poésie reniée et non les
jeunes filles aimées naguère, le futur, le présent, le conditionnel du
texte s'éclairent: la danse que met en branle le poète constitue une
cérémonie magique propre à lui faire rompre définitivement avec des
instruments toujours là (déjà infirmes et à casser!) et toujours
menaçants:

> Tu *couperais* ma mandoline
> Au fil du front

L'ambivalence amour-poésie permet, en effet, d'évoquer ici les
risques d'idylles renouvelées avec les étoiles qu'il faut éteindre, abattre:
mandoline, c'est l'instrument désuet d'amour et de création poétique
— et dans le premier sens, ce n'est pas délirer que d'y voir une ironique
et secrète image du sexe masculin — que les cheveux collés par la
bandoline rendraient muet !

ACCROUPISSEMENTS

Le titre donne, par antithèse, son sens à l'étiquette « chant pieux »: un curé aux prises avec son estomac et ses intestins, quel tableau, en effet ! Le lien, aussitôt, est établi avec le *Chant de guerre*, où s'accroupissent les Versaillais [29].

Les sept strophes de cinq vers forment un tout chacune, bien marqué par la syntaxe et par la ponctuation. Leur regroupement en trois parties (I-III; IV-VI; VII) est assuré, lui, par les deux lignes de points entre III et IV et entre VI et VII, cette dernière coupure accentuée par l'inachèvement et les trois points du vers 30, à la fin de VI. Le vers final est, pour sa part, mis en évidence par les trois points qui terminent le vers précédent. On peut d'emblée proposer deux lignes de recherches:

1. Les trois groupes se proposent comme trois *situations* du personnage dont il s'agira de déterminer les coordonnées spatio-temporelles;

2. Le dernier vers, mis en évidence, va nous conduire, d'une part, à sa confrontation avec le premier vers et, d'autre part, avec l'ensemble du poème, ces deux confrontations étant elles-mêmes susceptibles de fournir une nouvelle donnée valable pour le poème entier.

Les sous-unités ainsi déterminées, il faut, en effet, justifier leur repérage sur d'autres plans que sur celui de la ponctuation.

(I-II-III) vers 1, premiers mots:

Bien tard, quand...

introduction aux strophes I et II, dont les verbes sont au présent: c'est la description du personnage principal, frère Milotus, dont l'activité est complétée par une strophe descriptive (III) au passé composé puis au présent, fortement liée aux deux précédentes par:

vers 1 *Or*, il s'est accroupi

(IV-V-VI) vers 1, premiers mots:

Le bonhomme mijote

---

[29] Autres analogies notoires: Et le nez du bonhomme [...] renifle — les reniflements de Favre; contours du cul — délirants culs-nus. Liens tissés entre les divers poèmes: lunes particulières *(Mes Petites Amoureuses)* — aubes particulières *(Chant de guerre)* — hoquets, écœuré *(Le Cœur volé)*.

sujet nominal, reprenant « le frère Milotus » du début — et non plus *il* comme à chaque premier vers des strophes I-III — dénotant bien le début d'une seconde séquence. Ce sujet — le bonhomme — est repris de la strophe III, avant-dernier vers :

Et le nez du bonhomme

vers dont nous montrerons l'importance plus loin pour l'ensemble du poème.

Autrement dit, cette reprise équivaut à une synthèse de I-III, effet accentué par les vers 1 de III et de IV :

III   Or, il s'est accroupi, frileux
IV   Le bonhomme mijote au feu

où les termes *frileux* et *au feu* se trouvent après la césure, au même endroit, riment entre eux et sont en rapports logiques du point de vue narratif, tout en présentant un paragramme qui permet de passer de l'un à l'autre :

*fri*leux ←→ *feu* (cf. strophe VI, un passage du même type : *bou*rré de chiff*ons* — *bouffons*).

A la description de la strophe IV s'ajoute celle du décor, strophe V, elle aussi bien marquée à son début :

V, 1   *Autour*, dort un fouillis de meubles abrutis

Strophe autonome, consacrée tout entière à la description anthropomorphique de la chambre, en l'absence de référence à l'occupant [30], synthétisé précisément par ce *autour*, qui renvoie à la strophe IV.

La strophe VI se rattache à la précédente, puis à la strophe IV, grâce à ses deux premiers vers, reprenant l'atmosphère, le lieu et la conscience du personnage décrits jusqu'ici :

L'écœurante chaleur gorge la chambre étroite ;
Le cerveau du bonhomme est bourré de chiffons :

Enfin, la dernière strophe apparaît comme une conclusion générale, qui marque la fin de la comédie en montrant la progression opérée à

---

[30] Occupant dont le cerveau est, lui, transformé en objet, en meuble (strophe VI) ; échange *humain* ←→ *décor*, analogue à ceux que nous avons repérés : *humain* ←→ *nature*.

travers le texte: le frère Milotus se transforme en un personnage symbo-
lisant le titre (dont on n'oubliera pas le pluriel): il n'est pas évoqué en
un tableau unitaire, mais soit dans une succession, soit dans une attitude
typique, inscrite aussi dans la forme répétitive des éléments essentiels
du lexique, puisque, de la strophe I à la dernière, on passe du soleil aux
rayons de lune !

Reste, pour l'examen des subdivisions, le dernier vers:

> *Fantasque, un nez poursuit Vénus au ciel profond.*

Je l'ai signalé au départ, il faut confronter ce vers aux deux derniers
de la strophe III:

> *Et le nez du bonhomme, où s'allume la laque*
> *Renifle aux rayons, tel qu'un charnel polypier*

La sonorité t*el*-charn*el*-p*o*lypier se retrouve dans c*iel pro*fond. La
clôture de (I-III) est donc analogue à celle du poème. Cette constatation
exige, elle aussi, justification plus précise; le texte se transforme, en
effet, de manière fondamentale dans la strophe VII, si bien que la sub-
division la plus importante, à mon avis, est la suivante:

I-IV, scène de genre avec, pris dans un réseau de rapports grotesques,
un personnage humain précis, sa chambre et l'espace extérieur, à la
lumière du soleil;

VII, scène parallèle (v. 1-4 + v. 5), peinture générale, abstraite,
issue de la première, mais où la réalité s'efface au profit de l'évocation
métaphorique introduisant à une vision mythologique, où Vénus joue
un rôle encore à déterminer: mise en rapport d'une *ombre* avec l'espace
extérieur, sous un éclairage lunaire, la généralisation étant assurée par
la répétition:

> *Le soir...une* ombre → *un* fond.... *une* rose

Enfin, le vers 5 propose — avec, en tête, l'adjectif *Fantasque* qui sert
lui-même de signal pour la lecture de l'atmosphère d'ensemble — une
vision surprenante où le personnage disparaît pour ne plus laisser qu'un
cul (éclairé par la *lune*) et un *nez* (poursuivant *Vénus*). Or, Vénus est
l'étoile du matin et du soir, autrement dit la planète qui peut jouer le
rôle d'intermédiaire entre le soleil et la lune: ainsi, à la manière du
ballet des petites amoureuses, ce dernier vers-tableau confirme l'aspect
multiplié du frère Milotus et la répétition cyclique que suggérait le titre.

Rayons de lune ⟵→ *cul*, échange qui aboutit à la transformation de *fesses* en *astre*:

> *... rayons de lune, qui lui font*
> *Aux contours du cul des bavures de lumière*,

cependant que le nez, lui aussi transporté dans l'espace sidéral — il flamboie d'abord sous le soleil (strophe III) — emmène l'ensemble de la scène *de la chambre étroite* (VI) *au ciel profond* (VII).

Le « psaume d'actualité » illustre donc bien une fonction déjà trouvée dans les poèmes précédents: dérision, lyrisme perverti par l'ironie, renversement des *valeurs* poétiques, grâce à deux moyens essentiels:

a) l'utilisation, trop frappante pour qu'on y insiste, d'un lexique analogue à celui de *Mes Petites Amoureuses*;

b) et, surtout, par ces mouvements, ces relations *haut-bas*, une fois encore dans le domaine de l'alimentaire, du physiologique, de l'engloutissement et du rejet: écœuré, écœurante; mangerait sa prise; ventre; tripe; horribles appétits; gorge (verbe); hoquets.

Si, sous cet angle, nous reprenons le début et la fin du texte, nous voyons:

> strophe I *bas* (anti-lyrique): *estomac ecœuré*
> échange *bas* ⟵→ *haut* + métaphores « basses »

> > *... œil à la lucarne*
> > *D'où le soleil, clair comme un chaudron récuré,*
> > *Lui darde une migraine*

> strophe VII échange *haut* ⟵→ *bas*
> *lune   contours du cul*
> image « basse »: *s'accroupit*
> + comparaison lyrique: [...] *rose ainsi qu'une rose trémière.*
> et passage du technique (bas, prosaïque) au lyrique, élevé, mythologique *nez → Vénus → ciel profond*

Dans ces deux derniers mots — qui ferment le poème — *s'abolit* la « chambre étroite », avec tout son contenu narratif et sa signification rhétorique, pour faire du dernier vers — grâce à son isolement par rapport à l'ensemble et à sa propre dialectique — une étonnante représentation de la démarche poétique que vit et rêve Rimbaud en 1871, clôture lyrique d'une fantaisie physiologique [31].

Sur le plan des sonorités, on relèvera, analogues à ceux notés dans *Mes Petites Amoureuses*, des bégaiements et des jeux:

I, 1   l'esto*mac écœu*ré
III, 4   où s'*al*lume *la la*que
IV, 2   il *s*ent gli*sser ses* cui*ss*es
I, 4   *d*arde   *d*arne
I, 5   *D*éplace *d*ans les *d*raps
V, 2   *cra*sse   V, 3   *cra*pauds
II, 5   *A ses reins*   IV, 5   *A son* ventre *serein*

Enfin, une accumulation de voyelles claires marque la dernière strophe:

VII, 1   lune   qui   lui
     2   du cul   des bavures de lumière
     5   poursuit   Vénus au ciel

On peut, de ces constatations, tirer, non un sens affectif ou psychologique, mais l'idée que le matériel sonore aide, lui aussi, à opposer la fin à l'ensemble, celui-ci étant marqué par des sonorités nasales, dures et graves.

A la description anthropomorphique du mobilier (V) — où le sordide s'ouvre sur le fantastique — répond la transformation du personnage humain en objet passif, assistant à sa chute, à son effacement, annoncé par la strophe IV:

> *Le bonhomme mijote au feu*
> *... il sent glisser ses cuisses dans le feu*

Si la strophe V suggère d'abord que l'ensemble des objets n'est que décor passif, endormi, abruti, et que seule, la conscience de frère Milotus veille, la fin de la même strophe décrit la menace:

V, 4   [...] des buffets ont des gueules de chantres
    5   Qu'entrouvre un sommeil plein d'horribles appétits.

---

[31] L'enjambement de la strophe IV, lippe/Au ventre insiste sur le saugrenu de la rencontre, déplacement qui du visage fait descendre la grosse lèvre aux plis du ventre: ainsi se répète dans cette strophe le mouvement général de l'anti-lyrisme. Le soleil, *chaudron récuré*, participe d'un abaissement analogue (cf. *Mes Petites Amoureuses*), et *jaunes de brioches* complète le schéma, dans l'alimentaire (cf. *mijote*; *tripes*; *appétits*).

Les deux admirables images — *chantres* et *appétits* — présentent
l'avantage fondamental de s'intégrer aux deux champs sémantiques
choisis par Rimbaud : /Eglise-psaume/, /manger-vomir/.

La strophe VI, elle, accomplit le drame satirique, — où meubles et
curé échangent leur rôle, échange de substance et de vie entre le décor
et l'humain, entre le physiologique et le lyrique, pour la création d'un
univers nouveau :

> VI, 2   Le cerveau du bonhomme est bourré de chiffons :
>   4   Et parfois, en hoquets, fort gravement bouffons,
>   5   S'échappe, secouant son escabeau qui boite...

Nous sommes, certes, ici en face de l'évocation la plus choquante
possible par rapport aux conventions poétiques : le personnage, chemise
retroussée, pète, accroupi sur son escabeau... Mais, d'une part, « bourré
de chiffons », il se transforme en un de ces meubles abrutis qu'évoquait
la strophe V et, surtout, le verbe *s'échappe* [32], qui clôt la strophe VI,
assure le passage sur le plan mythologique du vers final. Les sonorités
répétées accentuent l'effet satirique :

> *b*onhomme *b*ourré *b*ouffons
> Il écoute les *p*oils *p*ousser dans sa *p*eau
> Et *p*arfois
> S'écha*pp*e   esca*b*eau qui *b*oite

Accroupissements accomplit une transfiguration de la réalité, grâce
à la paradoxale et scandaleuse peinture d'éléments scatologiques.
Comment Demeny ou Izambard se fâcheraient-ils sans condamner
eux-mêmes leur poésie ? Ou plutôt, qu'ils approuvent le texte dans sa
démarche ou qu'ils s'en irritent satisfait également Rimbaud : ses
poèmes ne sont-ils pas à la fois et inextricablement la pratique et la
mise à l'épreuve critique — jusque dans leurs conséquences ultimes —
de la poésie dont il veut épuiser les poisons pour en tirer *du nouveau* ? La
modernité tient ici en la dénonciation de l'écriture faussée par elle-même ;
l'ironie destructrice mène à des paysages cachés dans la tradition même ;
pourtant, si les bégaiements et les effets cacophoniques ponctuent le

---

[32] Un *s'échappe*, lui aussi, satirique : le verbe se rapporte, en effet, à un vent,
un pet sous-entendu, qui, défini par l'opposition *gravement bouffons*, construit
une image fondée, sur le mouvement *bas → haut*. L'Esprit souffle d'où il veut...

déroulement du poème, c'est un modèle solidement architecturé qui
s'esquisse, non la liquidation du langage poétique et des formes littéraires. Modernité, encore, et la plus éclairante, que le souci d'un jeu qui
tend vers l'idéal du message porteur de ses références, mais conservant
les traces, déchiffrables, d'une expérience vécue, individuelle et collective,
qui refuse désormais le mensonge des sujets nobles et de la langue dite
poétique. C'est bien le sens de la théorie du voyant qui, à sa place et
dans son domaine — l'écriture —, entend participer à une révolution
totale.

ANDRÉ BANDELIER

POUR UNE TABLE DE CONCORDANCES
DES POÈMES D'ARTHUR RIMBAUD:
problèmes et réflexions

L'irruption du quantitatif dans les sciences humaines, alliée au développement de la mécanisation et de l'automatisation des moyens de l'analyse, a multiplié ces outils de travail commodes pour les études littéraires que sont l'index de vocabulaire et la table de concordances. Les études rimbaldiennes ont également bénéficié de cet apport: des index des *Illuminations* et d'*Une Saison en Enfer* ont été publiés. Un groupe de travail de l'Université de Neuchâtel [1] s'attache maintenant à combler partiellement les lacunes par l'établissement d'une table de concordances des poèmes d'Arthur Rimbaud. Il nous paraît opportun de présenter l'état actuel de cette recherche, non seulement pour situer l'entreprise par rapport à une évolution générale, mais également pour s'interroger sur les avantages et les limites d'un tel complément, juger en quelque sorte de l'apport de la linguistique statistique aux études rimbaldiennes.

Quatrième tome des *Index du vocabulaire du symbolisme*, publié en 1954 par Pierre Guiraud, l'*Index des mots des « Illuminations »* [2] offre un répertoire alphabétique, avec regroupement de leurs diverses formes morphologiques, de tous les mots contenus dans cette œuvre. Si pour les « mots-outils », déterminants, pronoms, prépositions, conjonctions, l'on ne fournit que le chiffre de leur fréquence dans le texte, tous les autres mots reçoivent des indications permettant le renvoi à l'édition critique

[1] Regroupée au sein du Centre d'étude Arthur Rimbaud, l'équipe bénéficie du soutien matériel du Fonds national suisse de la recherche scientifique. Elle est formée de Frédéric Eigeldinger, Pierre-Eric Monnin, Gérald Schaeffer, Eric Wehrli et André Bandelier. F. Eigeldinger et P.-E. Monnin, que nous remercions très chaleureusement, ont bien voulu relire notre texte, bilan d'un an de recherches communes.

[2] Klincksieck, 1954, IV + 25 p.

de Henry de Bouillane de Lacoste (1949), à celles du Mercure de France (1935) et de la Pléiade (1951). L'appareil statistique — liste des « mots-thèmes » et des « mots-clés » en particulier — situe l'ouvrage à un niveau d'interprétation qui engage l'analyse thématique dans des voies dépassées. A huit ans d'intervalle, l'*Index des mots de « Une Saison en Enfer »* [3], paru dans la même collection et établi de manière artisanale par Robert Clive Roach, présente les mêmes caractères essentiels, malgré quelques modifications. Ici, le système de références englobe toutes les unités lexicales, « mots-outils » compris. Un répertoire particulier regroupe les mots des « Brouillons ».

Au-delà de ces deux index publiés, la recherche rimbaldienne dispose des possibilités offertes par le Centre de recherche pour un Trésor de la langue française. Car, parmi l'imposante masse documentaire rassemblée à Nancy sur la littérature française des XIXe et XXe siècles, figurent les *Œuvres complètes* d'Arthur Rimbaud dans la version du Mercure de France (1935), comprises dans le fichier Mario Roques, et l'édition de Rimbaud par Suzanne Bernard. Mais *Poésies, Derniers Vers, Une Saison en Enfer* et *Illuminations* ont été intégrés au *Trésor de la langue française* sans leurs variantes [4]. Conçu pour d'autres usages et soumis à des impératifs quantitatifs, le dépouillement par l'ordinateur de Nancy permet de livrer des index d'œuvres séparées et des concordances pour toutes les occurrences des mots des textes retenus [5].

* * *

Depuis une vingtaine d'années en linguistique française, les chercheurs disposent d'index et de concordances en nombre toujours plus

---

[3] Klincksieck, 1962, IV + 38 p. (*Index du vocabulaire du symbolisme*, VII.) Renvoi à l'édition critique de Henry de Bouillane de Lacoste, 1941, et à celle de la Pléiade, 1951.

[4] *Trésor de la langue française, Dictionnaire de la langue du XIXe et du XXe siècle*, vol. 1, Centre national de la recherche scientifique, p. LXX; *Bulletin du T.L.F.*, dans *Le Français Moderne*, Paris, 37, 1969, 2, p. 177 et 38, 1970, 3, p. 382.

[5] *Bibliographie des productions documentaires résultant d'un traitement en ordinateur au C.R.T.L.*, Nancy, Centre de recherche pour un Trésor de la langue française, 1974, 10 p. + annexes; Etienne Brunet, « Le T.L.F.: Un trésor est caché dedans », dans *Annales de la Faculté des lettres et sciences humaines de Nice*, 1977, p. 261-273.

grand, qu'ils s'accordent à utiliser comme réservoirs de sens et d'usages. Dans les études littéraires, ceux-ci sont devenus des ouvrages de consultation usuelle, auxquels on demande communément de fournir les exemples d'un mot dans ses contextes variés ou un point de départ pour l'établissement de champs sémantiques. Chacun reconnaît que le recours à ces outils de travail, vu leur caractère exhaustif et cumulatif, a souvent permis de découvrir certaines relations qui auraient pu échapper. Mais si les analyses comparatives et thématiques ont largement profité de l'essor concomitant des index et concordances, peu d'auteurs ont marqué leur dette exacte à l'égard de ces ouvrages de consultation rapide et aisée. Dans l'abondante masse des études sur Rimbaud, seules à notre connaissance celles de Pierre Guiraud, de Gérard Gorcy et de Jean Cohen l'admettent explicitement ou implicitement. Ce n'est pas un hasard. Chez tous trois, la poésie est d'abord traitement de langage: ils s'inscrivent dans des directions de recherche où phénomènes statistiques et particularités stylistiques sont envisagés comme convergents. Un postulat commun les rassemble dans une méthodologie de type comparatif: le style d'un auteur, d'une œuvre, en particulier le poème, est considéré d'abord comme écart par rapport à la norme prosaïque.

Déjà dans ses index consacrés à la poésie classique et symboliste [6], P. Guiraud avait inauguré un appareil statistique qui entretient dans sa terminologie la confusion entre la haute fréquence d'un mot et sa signification profonde. Une liste des 50 mots les plus usités des *Illuminations* et une énumération identique pour *Une Saison en Enfer* restent ainsi disponibles sous l'appellation de « mots-thèmes » [7]. A partir de ceux-ci, P. Guiraud avait ensuite établi une seconde liste des 20 « mots-clés » présentant non seulement une grande fréquence chez Rimbaud, mais l'écart le plus significatif par rapport à l'importance que la langue accorde communément à ces mêmes mots [8]. Malheureusement, la

---

[6] Premier index publié par P. Guiraud: *Index des mots d' « Alcools »* de *Guillaume Apollinaire*, Klincksieck, 1953, IV + 29 p. (*Index du vocabulaire du symbolisme*, I.)

[7] P. Guiraud, *Index des mots des « Illuminations »*, pp. II-III; R. C. Roach, *op. cit.*, pp. III-IV.

[8] Cette seconde liste s'obtient par le calcul de l'« écart réduit », soit « le rapport de l'écart absolu (des fréquences) par la racine carrée de la fréquence théorique »: Pierre Guiraud et Pierre Kuentz, *La Stylistique, Lectures*, Klincksieck, 1970, p. 223.

linguistique française ne disposait alors comme bases comparatives que de deux dictionnaires de fréquence établis aux Etats-Unis durant l'Entre-Deux-Guerres pour des besoins pédagogiques. A l'analyse, ils se révèlent totalement inadéquats, vu la faiblesse numérique des corpus retenus pour leur élaboration et vu la non-concordance chronologique avec l'œuvre de Rimbaud [9]. On a dénoncé par ailleurs l'illusion que recelait le projet de fonder la recherche des images et des thèmes dominants sur la fréquence des mots.

Mais P. Guiraud avait encore d'autres desseins, exprimés dans *Les Caractères statistiques du vocabulaire* [10]. Le chapitre VI, « Les caractères statistiques du lexique de la poésie symboliste » nous intéresse à un double titre: P. Guiraud exploite ses propres index et compare Arthur Rimbaud à Baudelaire, Mallarmé, Valéry, Claudel et Apollinaire. A cette aune, le vocabulaire rimbaldien apparaît extrêmement riche. Surtout, cette richesse ne doit rien aux nécessités de la rime, mais repose sur « une notable extension des limites » du lexique habituel et sur « une forte dispersion » par rapport aux autres auteurs, ce qui réduit sensiblement la répétition de mots. L'exploitation de l'index des *Illuminations* et de sondages dans le reste de l'œuvre a permis également de soumettre au contrôle des données statistiques les conclusions de Bouillane de Lacoste quant à la chronologie des *Illuminations*. Les résultats sont consignés dans un article intitulé « L'évolution statistique du style de Rimbaud et la chronologie des *Illuminations* » [11], repris ultérieurement dans la mise au point des *Problèmes et méthodes de la statistique linguistique* [12]. C. Chadwick, et plus récemment G. Gorcy ont souligné les faiblesses de cette analyse, dénonçant, outre certaines interprétations hâtives, un corpus trop limité, le choix et le nombre totalement insuffi-

---

[9] P. Guiraud a utilisé: George E. Vander Beke, *French Word Book*, New York, The Macmillan Company, 1929, 188 p. Corpus de 1 147 748 mots contenus dans 88 extraits de textes (pour plus du tiers, auteurs des XIXe et XXe siècles, à l'exception des poètes; extraits de journaux, d'ouvrages et d'articles historiques et scientifiques des années 1920 presque uniquement). Cf. pp. 7-9.

[10] Sous-titre: *Essai de méthodologie*. Presses Universitaires de France, 1954, 116 p.

[11] *Mercure de France*, CCCXXII, 1954, pp. 201-234.

[12] Cet article constitue le chapitre XI de l'ouvrage. Presses Universitaires de France, 1960, 145 p.

sant de critères pour établir une évolution stylistique [13]. Sans méconnaître la part d'aléatoire que recèlent les résultats de cette tentative [14], nous les rappellerons. Nous les considérons comme d'utiles présomptions à soumettre à la confirmation d'une recherche plus approfondie, à confronter aussi avec des faits biographiques, sémantiques et stylistiques. P. Guiraud partait d'une constatation paradoxale. L'étude d'ensemble du lexique rimbaldien et l'analyse du vocabulaire de chaque œuvre séparée aboutissaient à des résultats opposés : richesse d'ensemble, définie par le très grand nombre de mots différents, mais conformité individuelle des œuvres à la « normalité ». P. Guiraud recourait alors à l'évolution extrêmement rapide du style et de l'inspiration de Rimbaud : la conséquence aurait été un renouvellement lexical quantitativement « anormal » d'une œuvre à l'autre. Enfin, le coefficient interne de variation plus élevé dans les *Illuminations* que dans les autres textes constituerait l'indice d'un recueil peu homogène, composé à des moments différents de la création.

Partant des résultats statistiques de P. Guiraud, G. Gorcy a frayé la voie, dans les études rimbaldiennes, à une utilisation plus nuancée de la statistique lexicale [15]. Sa méthode d'interprétation « volontairement herméneutique » s'appuie entre autres sur les critiques psychanalytiques et sur une solide tradition philologique : attention particulière aux textes eux-mêmes, à leur genèse, aux variantes. Les mots, les adjectifs dans le cas présent, sélectionnés d'abord selon des critères quantitatifs, s'effacent rapidement devant leur valeur synthétique, « microcosmes » qu'une analyse pénétrante organise par l'apport des contextes, des synonymes et des antonymes notamment. De l'inventaire des groupes nominaux, du recensement et du classement des procédés de caractéri-

[13] C. Chadwick, « La Date des *Illuminations* », dans *Revue d'histoire littéraire de la France*, Paris, 1958, pp. 489-509 et 1959, pp. 50-70, article repris dans *Etudes sur Rimbaud*, Nizet, 1960, pp. 74-132 (cf. en particulier les tableaux statistiques corrigés de la p. 507); G. Gorcy, thèse citée plus loin, pp. 6, 41-42 et Index des noms cités, p. 330.

[14] Indices retenus par P. Guiraud : l'évolution de la longueur des mots, décomptée par le nombre de syllabes (indice lexical), et celle de la qualification du substantif (indice syntaxique).

[15] Gérard Gorcy, *Des choses vues à la voyance : Rimbaud et l'expression du concret dans les « Poésies », 1869-1873, Etude de la caractérisation adjective et substantive; contribution à l'étude des rapports entre grammaire, lexique et style*, Publications de l'Université de Nancy, Faculté des lettres et des sciences humaines, 1966, 353 p.

sation, on est conduit ainsi à l'étude des valeurs. Il en résulte une série de grilles sémantiques [16], quintessence du commentaire et points de cristallisation lexicaux sur lesquels G. Gorcy établit la structure profonde de l'œuvre. A cet égard, les séries antonymiques d'adjectifs condensent heureusement l'équilibre rimbaldien entre une volonté organisatrice et un goût anarchisant pour la révolte.

L'apport méthodologique de cette étude de la caractérisation adjective et substantive chez Rimbaud n'est pas mince. On retiendra l'analyse approfondie du « poète des sensations », des images visuelles singulièrement. Elle nous vaut un impressionnant rassemblement de données, propre à enrichir nos connaissances sur la symbolique des couleurs [17]. A son tour, G. Gorcy rencontre indirectement le problème de la date des *Illuminations*. Définissant l'évolution poétique de Rimbaud comme « un perpétuel dépassement des moyens d'expression », phénomène déjà reconnu par Suzanne Bernard dans l'abandon de la forme métrique *(Le Poème en prose de Baudelaire jusqu'à nos jours* [18]*)*, il n'offre, à travers l'évolution de la caractérisation syntaxique étudiée, aucune confirmation péremptoire sur ce plan. Mais justement, n'est-ce pas au rejet d'une attitude trop déterministe que nous invitent les observations bien étayées de l'auteur, concluant à une parenté syntaxique plus affirmée que prévue entre *Poésies* et *Illuminations*? L'explication tient peut-être au fait que l'évolution chronologique d'un style n'est pas nécessairement linéaire. A un autre niveau d'interprétation, l'analyse quantitative permet de retrouver la singularité des *Derniers Vers* dans la remarquable dispersion du « langage adjectival » et sa tendance à l'abstraction, traduisant le souci d'un renouvellement du lexique. Cette thèse de doctorat renferme également, en appendice, un outil de travail trop méconnu des critiques, l'index exhaustif des adjectifs et des participes adjectivés des *Poésies* et des *Derniers Vers* [19]. Distribués poème par poème, les mots retenus sont complétés par d'utiles notations d'ordre prosodique (adjectifs à la rime) et syntaxique (antéposition ou postposition de l'adjectif).

[16] *Ibid.*, pp. 282-284.
[17] *Ibid.*, pp. 209-278, notamment les tableaux synthétiques des pages 213-214.
[18] Nizet, 1958, pp. 151-211.
[19] G. Gorcy, *op. cit.*, pp. 289-328.

Au moment de la rédaction de son travail, G. Gorcy regrettait notre relative méconnaissance de la langue littéraire et non littéraire, contemporaine de l'œuvre qu'il avait étudiée. *Structure de la langue poétique* de Jean Cohen [20], essai remarqué dans le courant critique structuraliste, illustre l'importance des sources comparatives pour une « esthétique-science », singulièrement si celle-ci privilégie une méthodologie de l'écart linguistique. La démarche consiste à reconnaître « l'essence formelle » de la poésie à travers une telle approche et à considérer les moyens du poète de mieux en mieux accordés à leur fonction dans l'augmentation quantitative de certains caractères contraires à la norme prosaïque [21]. Est-ce bien suffisant ? Le terme d'essai donné à cette démarche nous paraît adéquat ; non seulement parce que les hypothèses émises restent à soumettre à la vérification de critères plus étendus [22] mais parce que, plus que d'une absence de théories, la recherche nous semble souffrir actuellement d'une absence d'intérêt des plus lucides de ses artisans pour l'établissement des faits. L'extension et la précision des sources comparatives deviennent primordiales dès lors que l'on définit l'essence formelle de la poésie comme « faite tout entière d'écarts »; indispensables même, si l'on postule que ceux-ci « restent qualitativement semblables au sein d'un genre et quantitativement les mêmes à l'intérieur d'une époque » [23]. La réflexion sera reprise quand il s'agira de légitimer les choix de notre propre outil de travail, notamment quant à l'importance de l'appareil statistique complémentaire à une concordance poétique. A cet égard, nous signalerons l'apport de Cohen, en renvoyant aux tableaux où Arthur Rimbaud est confronté sous des aspects prosodiques et syntaxiques aux « gloires assurées de la littérature française », de Corneille à Mallarmé [24].

* * *

[20] Flammarion, 1966, 235 p.

[21] J. Cohen ne prétend d'ailleurs nullement enfermer la poétique dans l'approche formelle ni reconnaître l'essence profonde de la poésie sous l'aspect unique du viol d'un code: *Ibid.*, pp. 12-15, 20-21, 201-202.

[22] J. Cohen, se fondant sur la double articulation du langage définie par des linguistes comme André Martinet, étudie le niveau « phonique » et le niveau « sémantique » dans leurs combinaisons complexes et reprend les problèmes de la rhétorique de la métaphore par l'étude de la prédication épithétique avant tout.

[23] *Ibid.*, p. 152.

[24] *Ibid.*, tableaux des pages 70, 85, 123, 132, 150, 151, 189 et 191.

Le groupe de travail de Neuchâtel est parti d'un souci pratique: doter la critique rimbaldienne en général et son propre centre en particulier d'un outil de travail comparable à ce qui existe pour d'autres écrivains du XIXe siècle, pour Baudelaire et Verlaine notamment [25]. La définition des objectifs a permis progressivement de dégager les lignes directrices suivantes: d'une part, la publication d'une concordance des poèmes ne devait constituer qu'une partie de la « banque de données » dont devait disposer notre institution. D'autre part, la constitution d'un outil de travail trop neutre dans ses fondements risquait de ne pas être suffisamment stimulant pour les recherches futures. A l'inverse, les bases théoriques initiales impliquaient nécessairement des contraintes pour l'avenir: il convenait de ménager les marges indispensables à un affinement ultérieur de l'outil de travail, de soigner la programmation puisqu'il avait été décidé de recourir à l'ordinateur du Centre de calcul électronique de l'Université de Neuchâtel pour disposer des moyens les plus efficients. Notre présentation ayant pour but d'expliquer les principes d'une concordance nouvelle dans sa conception, elle s'attachera avant tout aux éléments dont nous envisageons la publication.

Le choix du corpus, celui de la partie versifiée de l'œuvre de Rimbaud, était dicté par l'existence d'index pour la prose poétique et les poèmes en prose. Le caractère sommaire des index publiés, le principe d'ouverture adopté généralement commandaient de recourir à un traitement propre à respecter la spécificité du genre, tout en permettant la constitution d'un outil de travail similaire pour le reste de l'œuvre.

L'inventaire des index et concordances disponibles en littérature française révélait d'abord un défaut majeur: le manque de maniabilité, dû au recours à des éditions rapidement épuisées, toujours lié à une

---

[25] Pour Baudelaire: *Les Fleurs du Mal, Concordances, index et relevés statistiques*, établis d'après l'édition Crépet-Blin par le Centre d'étude du vocabulaire français de la Faculté des lettres de Besançon, Larousse, s. d. 246 p., tables; Robert T. Cargo, *A Concordance to Baudelaire's « Les Fleurs du Mal »*, Chapel Hill, The University of North Carolina Press, 1965, 24 + 417 p.; R. T. Cargo, *op. cit.*, note suivante.

Pour Verlaine: Pierre Guiraud, *Index des mots des « Fêtes galantes », de « La Bonne chanson » et des « Romances sans paroles » de Paul Verlaine*, Klincksieck, 1954, V + 23 p. (*Index du vocabulaire du symbolisme*, VI.); *Concordances, index et relevés statistiques*, établis d'après l'édition Y. E. Le Dantec par le Centre d'études du français moderne et contemporain et le Laboratoire d'analyse lexicologique de Besançon, Larousse, 1973. T. I: *Œuvres poétiques*, XVI + 285 p.

consultation rendue fastidieuse par l'obligation d'un va-et-vient incessant entre un texte et un outil de travail conçus pour des utilisations indépendantes. Plusieurs concordances établies aux Etats-Unis [26] ont résolu le problème en adjoignant aux tables la reproduction d'une édition courante, ce qui a pour avantages de réunir dans un même volume texte et outil de travail et de simplifier les références internes. Nous avons franchi un pas de plus en préparant une nouvelle édition du corpus, conçue pour accompagner la concordance, mais formant un volume séparé, aisément superposable aux tables de celle-ci [27].

Il convenait de se demander si l'édition pouvait se contenter de reprendre la meilleure étude critique disponible et si sa nouveauté résulterait uniquement d'une présentation adaptée à l'outil de travail. En réalité, le recours aux manuscrits et aux diverses publications, dans une stricte tradition philologique, était plus que recommandable, vu les implications multiples de l'état du texte sur les traitements analytiques envisagés. La difficulté de remonter aux originaux, de consulter les fonds privés, nous ont bientôt fait pardonner à plus d'un critique de n'avoir pu que recopier les choix de son prédécesseur, mais assurément non de ne pas avoir renoncé avec plus de netteté à accréditer une consultation des manuscrits. Finalement, l'étude des textes ayant constitué la première étape du travail, nous sommes en mesure de proposer une édition, scientifique pour les poèmes revus [28], dont l'originalité réside dans le relevé exact des ponctuations et surcharges et dans la collation complète des variantes. Pour l'indexation, ces dernières ont été traitées comme la totalité des poèmes, mais un signe indique leur qualité de leçons différentes du passage retenu. Après détermination du texte de base, vu notre méconnaissance de la composition de beaucoup de

---

[26] Consulter à titre d'exemple: R. T. Cargo, *Concordance to Baudelaire's « Petits Poèmes en Prose »*, with complete Text of The Poems, Alabama, The University of Alabama Press, 1971, X + 470 p.

[27] Les deux volumes seront publiés simultanément à Neuchâtel, Editions de la Baconnière.

[28] Le travail de collation des manuscrits et des textes imprimés a été mené à bonne fin par F. Eigeldinger et G. Schaeffer. Leur apport peut être apprécié quantitativement de la manière suivante: Le corpus compte 63 poèmes, pour lesquels il a été recensé a) 72 manuscrits autographes de Rimbaud (dont 24 n'ont pu être consultés sous quelque forme que ce soit); b) 12 copies manuscrites de Verlaine; c) 12 poèmes imprimés jusqu'en 1873, soit par Rimbaud, soit par Verlaine.

poèmes, il est apparu qu'il ne convenait pas de traiter à part les variantes des *Poésies* et des *Derniers Vers*. Nous avons donc arrêté un choix différent de celui de Roach pour *Une Saison en Enfer*. Mais là, les variantes des « Brouillons », chronologiquement identifiables et partie substantielle en regard de l'œuvre définitive, invitaient à la séparation [29].

Pour l'opération d'indexation proprement dite, le Centre d'étude du vocabulaire français de Besançon, sous la direction de Bernard Quemada, avait produit, dans le domaine du français, les séries de concordances les mieux à même de servir de modèles à une approche préliminaire: large expérience allant des Classiques aux auteurs contemporains dans des genres différents, publications d'œuvres de Baudelaire et de Verlaine [30], constitution d'outils de travail alliant le qualitatif au quantitatif par l'utilisation des ressources humaines et des moyens mécanographiques [31].

Fondée sur l'indexation des différents mots d'œuvres séparées et la limitation des concordances poétiques au vers, la démarche bisontine offrait l'avantage d'être restée « objective », s'étant gardée d'introduire des interprétations du texte dans son analyse. Des traitements résultant d'interventions humaines s'y avéraient efficaces pour dépasser l'inconvénient majeur des concordances où l'on avait trop facilement subordonné les résultats aux possibilités techniques de la machine: ordre strictement alphabétique des unités lexicales, sans regroupements morphologiques ni distinctions homographiques [32]. Comme à Besançon le projet neuchâtelois a substitué aux mots graphiques des unités lexicales fondées sur des critères sémiologiques (suite de mots saisie comme signification particulière simple) et linguistiques (effacement de la catégorie grammaticale originelle des composants d'une lexie, respect du principe de non-séparabilité et de l'ordre syntagmatique obligatoire

[29] R. C. Roach, *op. cit.*, pp. 31-38.

[30] Cf. note 25.

[31] Les *Cahiers de lexicologie* (Besançon, 1, 1959, ss.) et le *Bulletin d'information du laboratoire d'analyse lexicologique* (Besançon, 1, 1960, ss.) reflètent les activités poursuivies à Besançon. Consulter en particulier: Bernard Quemada, « La Mécanisation dans les recherches lexicologiques », dans *Cahiers de lexicologie*, 1, 1959, pp. 7-46 et *Actes du Colloque International sur la Mécanisation des Recherches Lexicologiques*, Besançon, juin 1961, dans *Cahiers de lexicologie*, 3, 1962.

[32] C'est le cas dans les concordances établies par ordinateur. Cf. R. T. Cargo, *op. cit.*

du mot composé) [33]. Un procédé de lemmatisation regroupe les formes morphologiques d'un même mot sous une seule adresse. La catégorisation grammaticale des unités ou un jeu d'indices distinguent les homographes. A Besançon, on est allé plus loin en ne rangeant pas seulement les occurrences dans l'ordre du texte mais en classant les exemples d'après leurs valeurs sémantiques. Une phase ultérieure de la recherche permettra de déterminer si, dans le cas présent, la dernière distinction se révèle nécessaire.

Tous ces éléments résultant de l'analyse du mot constituent les fondements des index statistiques qui complètent les concordances publiées. A cet égard, Besançon se signale par la rigueur mathématique de ses tables: fréquence des parties du discours, index alphabétique des fréquences absolues de tous les lemmes ou formes non regroupées, index des 500 « mots pleins » les plus fréquents. La recherche littéraire et linguistique ne s'est pas montrée avare de critiques à ce sujet. Le mot, manifestation de la structure superficielle du texte, et sa fréquence risquent fort de constituer des indices trompeurs de la signification profonde de l'œuvre. La sémantique structurale [34], à la recherche d'unités minimales de sens, a mis en évidence la redistribution des traits sémantiques des mots isolés sur leurs contextes respectifs. Ainsi, un trait sémantique, apparemment secondaire si l'on s'en tient aux occurrences des mots, risque d'être en réalité dominant, mais réparti sur d'autres termes que ceux dont on a dénombré les apparitions. Tout en marquant de l'indécision en ce domaine, les linguistes ont insisté sur l'indispensable recours à des analyses s'attachant à des unités plus larges, tels le discours, le texte. Les études récentes dans cette direction ont abouti à de séduisantes constructions, souvent décourageantes à l'application [35]. Le problème est aggravé par la divergence des points de vue: le linguiste ne considère que la fonction communicative du langage, le littéraire joue essentiellement sur sa fonction symbolique et évocatrice.

---

[33] Nous nous inspirons ici de: A.-J. Greimas, « Les Problèmes de la description mécanographique », dans *Cahiers de lexicologie*, 1, 1959, pp. 60-61.

[34] Nous pensons en particulier à l'analyse sémique: B. Pottier, *Recherches sur l'analyse sémantique en linguistique et en traduction automatique*, Publications linguistiques de la Faculté des Lettres et Sciences Humaines de l'Université de Nancy, 1963, 38 p.; A.-J. Greimas, *Sémantique structurale*, Larousse, 1966, 262 p.

Sans méconnaître la pertinence de telles critiques, nous avons adopté le point de vue qu'un outil de travail trop isolé dans sa conception ne répondrait point aux besoins. Il convient de chercher d'abord à établir des ponts avec les publications comparables. Dans le cas présent, une volonté de recherche et un souci d'efficacité plus immédiate ne nous ont pas semblé contradictoires. Les problèmes de la contextualisation, évoqués en détail plus loin, en fourniront la preuve. De plus, aux yeux de la critique littéraire, la valeur synthétique, latente, du mot s'accorde particulièrement à la genèse de l'œuvre poétique [36]; cet aspect ne peut être négligé. Enfin, et c'est finalement l'argument qui a renforcé notre conviction, l'analyse des études linguistiques appliquées à la littérature révèle une lacune irritante. Si la démarche hypothético-déductive s'impose et commande de fournir de nouvelles propositions théoriques, on est allé en ce domaine un peu vite en besogne, éliminant une hypothèse, la « valeur » des calculs de fréquence fondés sur le mot, avant même d'en avoir assuré un contrôle rigoureux et surtout, fondement de toute démarche scientifique, d'en avoir épuisé les limites.

Nous avons dès lors préparé l'appareil statistique pour des besoins de contrôle et de comparaison, tout en essayant d'améliorer son rendement. Dans cet ordre d'idées, nous songeons, opération réalisée à Besançon, à la correction de la lemmatisation par la possibilité non seulement de créditer d'un renseignement statistique une graphie représentative de toutes les formes d'un mot, mais encore de ventiler les résultats comptables entre celles-ci. Prenant en considération le fait que, pour des raisons stylistiques, un mot est souvent évité et repris sous d'autres signes, nous avons étendu la possibilité des comptages: pronoms-substituts sous l'adresse de leurs référents respectifs par exemple. La prise en considération du rang, soit le nombre de poèmes dans lesquels chacune des unités lexicales apparaît, apportera un correctif à la fréquence absolue que la plupart ont négligé jusqu'ici. Nous estimons également que l'élaboration de meilleurs dictionnaires

---

[35] A titre d'exemple, nous renvoyons aux travaux de János S. Petöfi, en particulier: « *Modalité* et *topic-comment* dans une grammaire textuelle à base logique », dans *Semiotica*, The Hague, Mouton, 15. 1975, 2, pp. 121-170, notamment pp. 156-162 où l'auteur décrit l'« organisation thématique globale » d'un passage de la Bible (*Exode* 4, 21-23).

[36] G. Gorcy, *op. cit.*, pp. 9-11.

« onomasiologiques »[37], groupant les mots sous des entrées notion-
nelles, facilitera la constitution des champs sémantiques les plus divers
à partir des tables de concordance. Surtout, l'interprétation des données
statistiques a souffert, c'est le cas des travaux de Pierre Guiraud, de la
faiblesse des sources comparatives. La recherche rimbaldienne, comme
toute la critique littéraire des XIXe et XXe siècles, dispose maintenant
du volumineux *Dictionnaire des fréquences*, publié par le Centre de
recherche pour un Trésor de la langue française[38]. L'utilisation de ses
informations statistiques descendant au rang et à la fréquence des mots
par tranches décennales — pour Rimbaud, la période 1870-1879 —
offre des possibilités trop méconnues.

Les concordances poétiques limitent leur attention aux caractères
prosodiques des œuvres indexées en se bornant à signaler d'une manière
différente — simple soulignement — le mot à la rime. Au mieux, elles
donnent en appendice un index alphabétique des rimes, fondé sur la
forme graphique[39]. Une extension de l'appareil phonostylistique est
prévue à Neuchâtel, mais non encore réalisée: un inventaire des rimes
fondé sur l'homophonie et recourant à la transcription phonétique[40].
En revanche, une rupture plus radicale avec la tradition, la possibilité
de déterminer chaque mot dans le vers par exemple, ne peut être réalisée
avec économie et profit indépendamment des autres éléments de la
contextualisation, rythme et syntaxe. Elle implique la définition et
l'application d'une théorie du langage poétique.

Nous pensons avoir trouvé une solution partielle à ce problème
fondamental dans une combinaison des éléments rythmiques, métriques
et syntaxiques. C'est par ce biais que notre concordance sera « unique »,

---

[37] Paul Imbs, « A l'étape », dans *Trésor de la langue française*, vol. 5, 1977,
p. XI.

[38] Sous-titre: *Vocabulaire littéraire des XIXe et XXe siècles*. Publication du
Centre de recherche pour un Trésor de la langue française, Nancy, 1969-1973,
en particulier le tome 3, *Table des variations de fréquences*, 1971, VIII + 451 p.

[39] W. T. Bandy, *Index des Rimes des « Fleurs du Mal »*, Nashville, Vander-
bilt University, 1972, I + 45 p. (Publications du Centre d'Etudes Baudelai-
riennes, 1). L'auteur ajoute, pp. 41-42, une liste de tous les mots rimés plus
d'une fois, par ordre décroissant de fréquence.

[40] Le classement trouvera d'utiles modèles dans: Alphonse Juilland,
Dictionnaire inverse de la langue française, The Hague, Mouton, 1965, LX +
504 p.; Léon Warnant, *Dictionnaire des rimes orales et écrites*, Larousse, 1973,
XVIII + 554 p.

tout en s'inscrivant dans les tentatives de dépasser la concordance fondée sur le mot. Nous défendrons même le droit à une « subjectivité contrôlée » dont la « légitimité » s'appuie tout autant sur l'extension notable des possibilités offertes en général que sur la subordination de l'outil de travail à des recherches ultérieures précises.

Dans un premier mouvement, la tentation existait de distinguer les différentes composantes de la structure poétique et de rechercher des solutions techniques pour les appréhender séparément. Ainsi, l'objectif envisagé de reprendre les problèmes du vers et de la métrique chez Rimbaud invitait à s'intéresser à des programmes informatiques pouvant traduire le poème en signes phonétiques [41]. L'attention portée à la syntaxe, aux audaces de Rimbaud sur ce plan, incitait à envisager, après d'autres [42], l'établissement d'une concordance de syntagmes. P. Laurette a proposé récemment une solution à ce problème: celle-ci représente incontestablement « un moyen plus affiné pour analyser l'énoncé et, par delà l'énoncé, l'énonciation problématique » [43]. Cependant cette tentative constitue un outil trop strictement orienté vers une fin pour servir de fondement à un ouvrage de plus large consultation. Pour la même raison, les études statistiques les plus poussées consacrées à la poésie et menées avec l'aide de l'ordinateur n'ont pu être d'un grand secours. Nous citerons par exemple l'association de la linguistique structurale et des techniques d'analyse du contenu par Thomas A. Sebeok [44]. Par ailleurs, vu leur point de départ conduisant à des recherches trop parcellisées et le choix de critères isolés, nous n'avons rien tiré des plus séduisantes recherches automatisées tendant à résoudre

[41] Travaux menés à l'Université de Californie et cités dans: Paul A. Fortier, article cité plus loin, pp. 149-150. Pour les études rimbaldiennes, consulter: François Ruchon, « Le Vers et la métrique de Rimbaud », dans *Jean-Arthur Rimbaud* [...], Genève, Slatkine Reprints, 1970, pp. 196-217.

[42] Cf. le professeur Gsell dans *Actes du Colloque International sur la Mécanisation des Recherches Lexicologiques, op. cit.*, p. 174 et G. Gorcy, *op. cit.*, p. 289.

[43] « Concordances Syntagmatiques et Analyse de Surface », dans *Computers and the Humanities*, New York, Pergamon Press, 8, 1974, 3, pp. 147-151.

[44] L'intérêt méthodologique des études de T. A. Sebeok, consacrées à la poésie populaire des Tchérémisses, est rappelé dans: Claude Brémond, « De la prose au poème (A propos d'un recueil d'essais de Thomas A. Sebeok) », dans *Semiotica*, The Hague, Mouton, 15, 1975, 2, pp. 179-188.

les problèmes d'attribution d'œuvres, comme celle des articles anonymes de l'*Encyclopédie*[45].

De manière toute pragmatique, nous souhaitions offrir une concordance répondant à des besoins très généraux, mais dont nous testerions l'utilité par rapport aux objectifs ultérieurs de la recherche au Centre d'étude Arthur Rimbaud de Neuchâtel. Une analyse de surface permettait de respecter la linéarité du texte. Elle devait dépasser absolument l'habituel découpage des concordances poétiques épousant la structure versifiée des poèmes. Les innovations de la poésie rimbaldienne ont été suffisamment mises en valeur pour qu'il ne soit point nécessaire de légitimer un tel choix. Nous avons donc décidé d'abandonner une contextualisation limitée à la mesure du vers pour lui substituer un découpage autre des séquences. Ces dernières devaient, à notre sens, offrir un contenu autoélucidant plus riche, quel que soit l'utilisateur potentiel, distinguer le texte de l'auteur d'un métalangage simple, immédiatement explicite, pour que la concordance reste un instrument commode et largement consulté.

Les méthodes d'analyse de Jean Rychner[46] ont été adoptées, bien qu'elles aient été conçues pour être appliquées à la prose narrative du moyen âge. Par leur originalité, elles dépassent largement les limites d'un genre et du domaine français. Point essentiel pour notre projet, leurs fondements n'excluent ni une étude engageant la langue au niveau de la phrase, ni une recherche impliquant plus directement le texte dans son ensemble, au niveau transphrastique. Ayant évité ainsi de nous enfermer exclusivement dans la versification, nous avons ajouté des notations métriques, rendant possible cependant un traitement fonda-

---

[45] Recherche de R. L. Frautschi, professeur à l'Université de la Caroline du Nord, présentée dans: Paul Fortier, « Etat présent de l'utilisation des ordinateurs pour l'étude de la littérature française », dans *Computers and the Humanities*, New York, Pergamon Press, 5, 1971, 3, p. 150. L'article dans son ensemble offre une synthèse sur l'utilisation des ordinateurs dans le domaine littéraire français. On complétera par: Richard L. Frautschi, « Recent Quantitative Research in French Studies », dans *Computers and the Humanities*, 7, 1973, 6, pp. 361-372.

[46] *L'articulation des phrases narratives dans la « Mort Artu »*, Genève, Droz et Neuchâtel, Faculté des lettres, 1970, 259 p. (Université de Neuchâtel, Recueil de travaux publiés par la Faculté des lettres, 32.)

mentalement comparable des autres œuvres, *Une Saison en Enfer* et les *Illuminations*.

La prééminence des éléments métriques comporterait surtout l'inconvénient d'engager les études ultérieures dans la seule direction des écarts par rapport à une tradition, voie moins riche de possibilités que la détermination d'un ou de systèmes propres à l'auteur, fondée sur l'amalgame du rythme, de la syntaxe et de la versification.

Nous avons repris l'analyse de J. Rychner sur deux plans. La définition du « contour du texte » par l'agencement des « unités de parole », séquences rythmiques séparées par des pauses, a conduit à la détermination des contextes de chaque unité lexicale. L'« épaisseur du texte », définie par la subordination et réalisée par la notation des niveaux relatifs entre les séquences, a livré le complément propre à informer sur l'agencement de celles-ci.

L'introduction succincte et précise de J. Rychner, mieux que toute autre paraphrase, présente ainsi la démarche: « Je vais envisager le texte de l'extérieur en quelque sorte; l'écoutant se dérouler, je ne vais retenir que les unités qu'il me laisse saisir de lui-même grâce aux pauses qu'il ménage comme des interstices entre ses parties (...). Ces unités, je vais naturellement les différencier, en distinguant d'abord les pauses conclusives, qui achèvent ce qui les précède, et les pauses suspensives, qui suspendent l'énoncé en faisant attendre ce qui suit. J'appelle *segments* les unités séparées de leurs voisines par des pauses dont une au moins n'est que suspensive, et *phrases* celles qui sont isolées par deux pauses conclusives tout en tolérant d'être elles-mêmes interrompues par des pauses suspensives [47]. »

Un exemple chez Rimbaud, le sonnet *Le Mal*, qui a la particularité de ne former qu'une seule phrase, fournira une première approche de la segmentation rythmique. Les pauses seront marquées par des traits verticaux, les pauses suspensives et conclusives affectées respectivement d'une ou de deux barres:

> Tandis que les crachats rouges de la mitraille
> Sifflent tout le jour par l'infini du ciel bleu; |
> Qu'écarlates ou verts, | près du Roi qui les raille, |
> Croulent les bataillons en masse dans le feu; |

---

[47] J. Rychner, *op. cit.*, p. 9.

Tandis qu'une folie épouvantable broie
Et fait de cent milliers d'hommes un tas fumant; |
— Pauvres morts ! | dans l'été, | dans l'herbe, | dans ta joie, |
Nature ! | ô toi qui fis ces hommes saintement !... — |

— Il est un Dieu, | qui rit aux nappes damassées
Des autels, | à l'encens, | aux grands calices d'or; |
Qui dans le bercement des hosannah s'endort, |

Et se réveille, | quand des mères, | ramassées
Dans l'angoisse, | et pleurant sous leur vieux bonnet noir, |
Lui donnent un gros sou lié dans leur mouchoir ! ||

Cette première étape présente l'inconvénient de séparer des séquences dont la non-contiguïté s'explique par le fait qu'un ou plusieurs segments enchâssés en ont rompu la continuité:

quand des mères, (...), (...), Lui donnent un gros sou lié dans leur mouchoir !

De plus, le caractère particulier des vers 7 et 8 — parenthèse entre les subordonnées (« Tandis que ...; Qu' ...; Tandis qu' ...; ») et la principale (« Il est un Dieu ») — n'est pas mis en valeur.

Le découpage rythmique se fonde ici essentiellement sur des signes de ponctuation, même si le rôle de ceux-ci ne se réduit pas à cette seule fonction. Dans un premier tercet sans virgule après « Dieu », nous aurions considéré la relative « qui rit aux nappes damassées Des autels » comme une attributive et nous n'aurions marqué aucune pause avant le mot « autels ». C'est du même coup souligner l'importance d'un autre problème: la sûreté de la ponctuation. Dans le cas présent, à la négligence de l'auteur copiant ses vers s'ajoute la mémoire, sans doute approximative, des amis de Rimbaud. Surtout, certains poèmes de Rimbaud sont connus uniquement par la restitution qu'en a donnée Verlaine [48].

L'analyse de l'absence de ponctuation avant ou après des éléments rythmiquement segmentables a confirmé notre hypothèse: des informations métriques (fin de vers, césure plus rarement) peuvent jouer le rôle de substituts de la ponctuation « manquante ». La transcription d'une strophe de *La Maline* illustrera les difficultés rencontrées:

---

[48] A Rimbaud, *Œuvres complètes*, Bibliothèque de la Pléiade, 1972, p. 841.

Dans la salle à manger brune, | que parfumait
Une odeur de vernis et de fruits, | à mon aise |
Je ramassais un plat de je ne sais quel met(s)
Belge, | et je m'épatais dans mon immense chaise. ||

Rimbaud pas plus que les autres poètes n'a jamais noté la « musique »
de ses œuvres, la manière de les déclamer. La possibilité du français de
constituer des « groupes de souffle » aux dimensions variables et par
conséquent de multiplier son accentuation phonique, explique déjà
l'embarras de l'analyste [49]. Le lecteur est invité à porter son attention
sur la fin des premiers vers, exempte de toute ponctuation. Des critères
syntaxiques ont renforcé d'abord la reconnaissance d'un enjambement,
mais ensuite ont déterminé la segmentation de « à mon aise », élément
apposé, alors que « mets Belge », dissocié par la versification, ne pouvait être considéré que comme un rejet.

Pour le deuxième temps de l'analyse, redonnons la parole à
J. Rychner : « Segments et phrases sont donc définis sur la ligne du texte
en étendue linéaire seulement. Mais je ne vais pas me représenter le texte
comme une succession de traits alignés les uns derrière les autres et
séparés par des pauses plus ou moins profondes. Entre le segment et la
phrase, j'admets une unité que je définis plutôt en épaisseur qu'en
longueur, selon le critère plus grammatical de la subordination. A
l'exemple de R. L. Wagner et J. Pinchon, j'appelle cette unité le syntagme
complet ou, plus brièvement, *syntagme*. Le syntagme est formé de
l'ensemble d'un principal et de ses subordonnés, ou d'un déterminé et
de ses déterminants ; il est toujours, là où on le voit, le lieu le plus étendu
de la subordination. S'il ne compte qu'un segment, la subordination de
ses différents éléments n'est pas prise dans l'analyse et le syntagme se
réduit à un trait de parole compact ; mais s'il compte plusieurs segments,
ceux-ci s'étageront par rapport à un segment principal [50]. »

---

[49] Roman Jakobson, « Linguistique et poétique », dans *Essais de linguistique
générale*, Ed. de Minuit, 1963, pp. 232-233 ; J. Cohen, *op. cit.*, pp. 57-58. Le
numéro 23 de *Langue française* (Larousse, septembre 1974), consacré à la
Poétique du vers français, donne un large éventail de l'évolution des idées sur le
rythme, sous la direction de Henri Meschonnic. On consultera en particulier
les auteurs qui utilisent de larges extraits de Rimbaud pour l'exemplification :
Pierre Lusson et Jacques Roubaud, « Mètre et rythme de l'alexandrin ordinaire », pp. 41-53 ; Henri Morier, « Les Finales arsiques », pp. 72-87.

[50] J. Rychner, *op. cit.*, pp. 9-10.

L'ambiguïté de certains énoncés démontrera l'intérêt du dépassement de l'analyse linéaire. On peut se demander si elle ne marque pas aussi les limites de la « subjectivité contrôlée » de notre concordance. En fait, l'ambivalence chez Rimbaud se situe essentiellement sur le plan lexical, ce qui n'a jamais déterminé jusqu'ici dans notre étude un découpage rythmique différent, et la contextualisation ne permet qu'exceptionnellement une alternative. Une « phrase », tirée de *Soleil et Chair*, répartie sur trois vers (v. 85-87), complétera notre propos:

> [...] *La Pensée,*
> *La cavale longtemps, si longtemps oppressée*
> *S'élance de son front ! [...]*

L'analyse de groupe avait abouti à des interprétations différentes quant à la fonction du substantif « Pensée »: sujet de « S'élance » ou élément discret, elliptique, pouvant à lui seul constituer l'exclamation et renforçant le caractère original de l'image « La cavale... S'élance... ». Notre double présentation rend compte de l'alternative. Les niveaux de subordination sont marqués par le décalage des segments, les chiffres numérotent les segments dans l'ordre linéaire, la ponctuation est maintenue pour servir de repères:

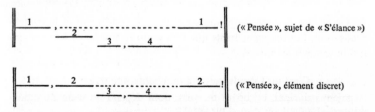

La seconde solution a été finalement retenue, vu l'apparentement sémantique entre « cavale » et « S'élance » et l'existence attestée de constructions similaires chez Rimbaud.

Cependant, la présentation graphique adoptée par J. Rychner se conciliait mal avec le traitement électronique. Il aurait fallu notamment affecter chaque segment d'un indice du niveau relatif pour que les rapports de subordination soient appréhendés par la machine. Le problème a été résolu par le remplacement de ce système par un autre jouant sur les imbrications de parenthèses. Ce qui donne pour la même « phrase »:

```
      1            2           3               4
[La Pensée,] [La cavale [longtemps,] [si longtemps oppressée]
                2
            S'élance de son front !]
```

C'est alors, que pour répondre à la spécificité du genre, nous avons ajouté les notations métriques. Nous restions ainsi fidèles à notre objectif général — aucune utilisation littéraire ne peut faire fi de tels renseignements — et à notre objectif particulier — préparer une concordance comportant la possibilité d'établir comment Rimbaud tout à la fois utilise et casse le moule de la versification. La combinaison de la majuscule au début des vers et d'un signe (/) pour marquer la fin de ceux-ci — ne serait-ce que pour que l'ordinateur puisse enregistrer automatiquement chaque vers et localiser sa position dans le corpus — a été reconnue suffisante. Pour le premier quatrain du *Dormeur du Val*, on obtiendrait le résultat suivant:

> [C'est un trou de verdure où chante une rivière /
> [Accrochant follement aux herbes des haillons /
> D'argent;]] [où le soleil, [de la montagne fière,] /
> Luit:] [c'est un petit val qui mousse de rayons.] /

On en tire cinq segments, qui constituent le fondement de la contextualisation. Les renseignements que l'on pourrait inférer de leur présentation seraient les suivants:

> C'est un trou de verdure où chante une rivière / (.../...);

(segment principal, occupant un vers, dont dépend un segment subordonné s'étendant sur plus d'un vers)

> Accrochant follement aux herbes des haillons / D'argent;

(segment subordonné avec rejet)

> où le soleil, (...), / Luit:

(segment avec rejet, interrompu par un segment de niveau inférieur)

> de la montagne fière, /

(segment subordonné occupant la fin d'un vers)

> c'est un petit val qui mousse de rayons. /

(segment indépendant ne s'étendant pas sur un vers entier)

Cette analyse nous autorise à définir nos segments rythmiques comme
les parties de la phrase les plus larges possible pouvant être dites d'un
seul mouvement, sans contredire les données de la ponctuation. Nous
avons donc écarté les distinctions plus fines des phonéticiens pour ne
pas aboutir à la déclamation scandée: Rimbaud vise davantage à
provoquer la surprise par un rythme qui dissocie la syntaxe et le mètre
qu'à ménager le retour régulier des accents. Finalement, nous propo-
serons un schéma montrant comment la segmentation rythmique
entretient des rapports de convergence et d'opposition avec la syntaxe
et la versification dans ces mêmes vers:

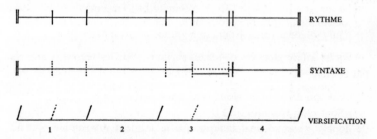

La publication d'une concordance nécessitait de rendre plus explicite
encore les contextes des différentes unités lexicales choisies[51]. Sans
modifier les critères d'analyse, nous avons ajouté des référents, métalangage soigneusement distingué du texte de l'auteur, aux segments
elliptiques, aux appositions, aux comparaisons, aux pronoms-substituts.
Pour ces vers du *Buffet*,

> *Le buffet est ouvert, et verse dans son ombre*
> *Comme un flot de vin vieux, des parfums engageants;*

on obtiendra:

> Le buffet est ouvert,
> et verse ‹buffet› dans son ombre / (...), des parfums engageants; /
> Comme ‹verser parfums› un flot de vin vieux,

---

[51] Le principe de l'économie de l'édition — on a généralement estimé que
des contextes limités au vers alexandrin aboutissent à réécrire à peu près huit
fois le texte — nous imposera la distinction, discutable au niveau théorique,
acceptable sur le plan pratique, entre une concordance des « mots pleins »
(substantifs, pronoms-substituts, adjectifs qualificatifs, adverbes de lieu, de
temps, de manière, interjections) et un index des « mots-outils » (déterminants,
pronoms de conjugaison, adverbes de négation et d'intensité, prépositions,
conjonctions).

Le principe conjugué de l'intelligibilité et de l'économie a amené enfin la levée de la segmentation, par un signe facultatif (+) pour la machine, entre des segments de même niveau, morphologiquement identiques. Nous l'avons appliqué dans *Soleil et Chair* pour réunir les segments « longtemps » et « si longtemps oppressée », ce qui donne:

longtemps, si longtemps oppressée <cavale> /

Le premier quatrain des *Douaniers* offre à cet égard un exemple intéressant, pour lequel nous proposons la solution suivante:

[Ceux qui disent: Cré Nom,]+[ceux qui disent macache, /
[Soldats,]+[marins,]+[débris d'Empire,]+[retraités] /
 Sont nuls,]+[très nuls, [devant les Soldats des Traités /
[Qui tailladent l'azur frontière à grands coups d'hache]]] /

On en infère alors les contextes suivants pour les segments affectés par le signe +:

Ceux qui disent: Cré Nom, ceux qui disent macache, / (...)
/ Sont nuls, très nuls, (...) //
(le double « slash » final indique que le segment subordonné s'étend sur deux vers)

Soldats, marins, débris d'Empire, retraités /

La segmentation est levée également entre le vocatif et sa reprise, entre l'interjection et le segment suivant, bien entendu dans la concordance publiée uniquement:

[— Ô buffet du vieux temps,]+[tu sais bien des histoires,] /
(*Le Buffet*, v. 12)

[— Oh !]+[quel nom sur ses lèvres muettes / Tressaille ?]
(*Rages de Césars*, v. 9-10)

La démarche explicitée pas à pas, il reste à renvoyer à un texte d'une étendue plus large (APPENDICE, I et II, analyse du *Chant de guerre Parisien*) pour offrir au lecteur la possibilité de juger plus complètement des résultats obtenus.

* * *

Le travail effectué par l'informaticien pour choisir les structures logiques des données et des programmes mériterait à lui seul un article.

Nous nous contenterons d'évoquer brièvement les possibilités offertes par le traitement informatique. La distinction des différents poèmes permet de livrer des concordances partielles. Il en est de même de l'indice grammatical ajouté à chaque segment rythmique, dont nous n'avons pas parlé jusqu'ici. En effet, ladite catégorisation reprend une terminologie traditionnelle (interjections, vocatifs, indépendantes, principales, subordonnées, circonstanciels nominaux et adverbiaux, comparaisons, participiales, appositions, relatives explicatives) et trie le corpus, qualitativement et quantitativement, afin de permettre, en conjugaison avec les niveaux de subordination et les notations métriques, l'analyse détaillée de la structure poétique rimbaldienne. La répartition, après l'établissement par l'ordinateur de l'index de tous les mots, de chaque entrée lexicale entre les différentes parties du discours (substantif, déterminant, adjectif, pronom, verbe, adverbe, préposition, conjonction, interjection) ouvrira de nouvelles possibilités de tri. Nous nous abstiendrons également d'expliquer comment l'informaticien parvient à constituer ses fichiers de mots, de ponctuations, de segments, comment il réussit à éditer une concordance et un index, complets ou partiels, de chacune de ses séries et les comptages statistiques y relatifs. En revanche, nous insisterons fortement sur l'ordre de priorité à respecter: les considérations littéraires doivent prédominer pour aboutir au résultat optimum. Le recours à l'ordinateur ne peut ouvrir au critique littéraire qu'une dimension d'ordre quantitatif. Il l'oblige à préciser soigneusement ses objectifs dès le départ, tout en lui évitant les fastidieuses manipulations du fichier artisanal et les erreurs inhérentes à la lassitude humaine. Il ne le dispensera jamais de la prise de décision et de l'interprétation.

Sans avoir ni épuisé la phase d'élaboration de cette première concordance de Rimbaud ni exploité vraiment cet outil de travail, le groupe de Neuchâtel reste conscient que le pas suivant consistera non seulement à amener au même degré de perfection l'indexation du reste de l'œuvre rimbaldienne, mais surtout à compléter les tables existantes de Verlaine et de Baudelaire: élaboration hautement souhaitable de répertoires autorisant les comparaisons avec Banville et les Parnassiens bien évidemment, avec les « classiques » de l'illuminisme également, dont la pensée a été si féconde pour des générations d'écrivains.

APPENDICE

I. *Segmentation*

Chant de guerre Parisien

[Le Printemps est évident, [car
 Du cœur des Propriétés vertes,]+
[Le vol de Thiers et de Picard
 Tient ses splendeurs grandes ouvertes !]]

[Ô Mai !]+[quels délirants cul-nus !]
[Sèvres,]+[Meudon,]+[Bagneux,]+[Asnières,]
[Ecoutez donc les bienvenus
 Semer les choses printanières !]

[Ils ont schako,]+[sabre et tam-tam]+
[Non la vieille boîte à bougies]
[Et des yoles [qui n'ont jam, jam...]
 Fendent le lac aux eaux rougies !]

[Plus que jamais nous bambochons
[Quand arrivent sur nos tanières
 Crouler les jaunes cabochons
[Dans des aubes particulières !]]]

[Thiers et Picard sont des Eros,]+
[Des enleveurs d'héliotropes,]
[[Au pétrole] ils font des Corots:]
[Voici hannetonner leurs tropes...]

[Ils sont familiers du Grand Truc !...]
[[Et couché dans les glaïeuls,] Favre
 Fait son cillement aqueduc,]+
[Et ses reniflements à poivre !]

[La Grand ville a le pavé chaud,
[Malgré vos douches de pétrole,]]
[[Et décidément,] il nous faut
 Vous secouer dans votre rôle...]

[Et les Ruraux [qui se prélassent
 Dans de longs accroupissements,]
 Entendront des rameaux qui cassent
[Parmi les rouges froissements !]]

II. *Contextualisation*

Chant de guerre Parisien

Le Printemps est évident, (...) ! ////
car / Du cœur des Propriétés vertes, / Le vol de Thiers et de Picard /
                                    Tient ses splendeurs grandes ouvertes ! /

O Mai ! quels délirants cul-nus ! /
Sèvres, Meudon, Bagneux, Asnières, /
Ecoutez ‹Sèvres, Meudon, Bagneux, Asnières› donc les bienvenus /
                                    Semer les choses printanières ! /

Ils ont schako, sabre et tam-tam / Non la vieille boîte à bougies /
Et des yoles (...) / Fendent le lac aux eaux rougies ! /
qui ‹yoles› n'ont jam, jam ... /
Plus que jamais nous bambochons / (...) ! ///
Quand arrivent sur nos tanières / Crouler les jaunes cabochons / (...) ! /
Dans des aubes particulières ! /

Thiers et Picard sont des Eros, / Des enleveurs d'héliotropes, /
(...) ils ‹Thiers et Picard› font des Corots: /
Au pétrole
Voici hannetonner leurs ‹Thiers et Picard› tropes ... /

Ils ‹Thiers et Picard› sont familiers du Grand Truc !... /
(...), Favre / Fait son cillement aqueduc, / Et ses reniflements à poivre ! /
Et couché ‹Favre› dans les glaïeuls,

La Grand ville a le pavé chaud, / (...), /
Malgré vos douches de pétrole, /
(...) il nous faut / Vous secouer dans votre rôle ... /
Et décidément,

Et les Ruraux (...), // Entendront des rameaux qui cassent / (...) ! /
qui ‹Ruraux› se prélassent / Dans de longs accroupissements, /
Parmi les rouges froissements ! /

Avril 1978 [52].

_____

[52] Depuis la rédaction de cet article, une table de concordances de l'œuvre complète de Rimbaud, établie par ordinateur, a paru aux Etats-Unis. La contextualisation y souffre d'un traitement sommaire, entièrement automatisé: *A Concordance to the « Œuvres Complètes » of Arthur Rimbaud*, compiled by William C. Carter and Robert F. Vines, Athens, Ohio University Press, 1978, XIV + 810 p.

TABLE DES MATIÈRES

ACHEVÉ D'IMPRIMER EN SUISSE
LE 28 SEPTEMBRE 1979
SUR LES PRESSES DE L'IMPRIMERIE DU « JOURNAL DE GENÈVE »
POUR LES ÉDITIONS DE LA BACONNIÈRE
A NEUCHÂTEL